RODULFO GONZALEZ

La Barbarie represiva de la Narcodictadura de Nicolás Maduro

Tomo I

First published by Aussie Trading, LLC 2023

First edition

Cover art by Valeria Magallanes
Editing by Juan Rodulfo
Proofreading by Guaripete Solutions

This book was professionally typeset on Reedsy.
Find out more at reedsy.com

Contents

Preface vii
Protesta dejó cuatro heridos en Mérida 1
Protestas en Carabobo dejaron ocho heridos 3
Joven Aragueño asesinado en protestas 5
Respuesta del gobierno a protestas es la misma que se dio en... 7
Quemaron el altar del estudiante Bassil Dacosta en La... 11
El término represión se manipula en Venezuela? 13
Más armamento ruso para asesinar al pueblo 15
Enfrentamientos entre manifestantes y policías en Táchira 16
Guardia Nacional agrede a estudiantes en Puerto Ordaz 17
La brutal represión en el Táchira 20
La fiscal Luisa Ortega Díaz rechazó las "guarimbas" 22
Detenido en España el acusado de quemar vivo a joven en... 25
La Guardia Nacional agredió a mujeres que protestaban en... 27
Cinco escenas de violencia de una intensa jornada de... 29
La Guardia Nacional reprimió protesta por gasolina 34
La protesta silente de los médicos 36
Un nuevo patrón para reprimir 39
Las palabras que el viento se llevó 42
En Barquisimeto motorizados chavistas destrozaron vehículos 44
La detención de manifestantes en Barinas 46
Allanan las oficinas del coronel José Machillanda 48
14 heridos con perdigones dejó una manifestación en Altamira 50
30 civiles y 6 militares muertos desde el 12F 52
Protesta nocturna y asamblea en Nueva Esparta 54
Protesta tomó la calle en Terrazas del Club Hípico 55

El movimiento estudiantil ha encabezado las protestas contra... 56
Venezuela inconstitucional 58
Un herido en la UCV por represión policial 61
La Guardia Nacional aplica Guerra Psicológica 63
Tiñen de rojo la fuente de la Plaza Francia de Altamira 65
Protestan con cadena humana en el Teleférico de Macuto 66
El gobierno británico condenó la violencia 67
Cadáveres ficticios en Estaciones del Metro de Caracas 68
Heridos y asfixiados 69
La pesadilla de un periodista colombiano durante las... 71
Achacan protestas y guarimbas de Carabobo a Alcaldes... 75
Maduro defendió a los Tupamaros 77
La debacle del inepto heredero 79
El costo de la protesta popular 81
La situación en Venezuela es alarmante 84
Continúan ataques de la Guardia Nacional a Residencias 86
Heridos en Altamira 89
Siguen las protestas en el País 90
21 muertes en protestas contra Maduro 93
El G2 da instrucciones para que el gobierno reprima a... 94
Aviones de guerra intimidan al Táchira 95
El asesinato y la tortura como políticas de Estado 97
Brasil vende casi todas las bombas lacrimógenas 100
Con gases y perdigones dispersaron a manifestantes en... 104
Instan al Ejecutivo a respetar los Derechos Humanos 107
Detención de periodista de 2001 109
Motorizados con licencia para matar 111
La Policía Nacional detuvo a cinco personas en las... 114
Exceso de fuerzas policiales 115
Advertencia a Maduro 117
Muerte de dos personas en protestas 118
Un muerto y cuatro policías heridos durante protestas en... 119
De verde a putrefacta 123

El pronunciamiento del Comité Interamericano de las... 126
El gobierno es responsable de la muerte de Mónica Spear 128
Los estudiantes no le temen a la represión 131
La narcodictadura condecora a guardias nacionales represores 132
Multitudinaria concentración contra la narcodictadura 133
La muerte de Argenis Hernández 136
Un muerto en Mérida tras arremetida de la Guardia Nacional y... 138
La Guardia Nacional detuvo a 13 participantes en campamento... 139
Batalla campal en Barquisimeto y Cabudare 142
Denuncian ante la corte penal internacional al gobernador... 144
Más de 300 asesinatos por razones políticas 147
Represión contra manifestación estudiantil 149
Denuncian agresiones de la Guardia Nacional contra... 151
Dos heridos y catorce asfixiados ingresaron al Hospital... 153
La actuación de cuerpos represores de la narcodictadura,... 156
14 heridos por perdigón dejó manifestación en Altamira 158
30 civiles muertos y 6 militares desde el 12F 159
¿Qué molesto a la dictadura? 165
Vecinos de un sector de Catia toman la calle 167
Las apariencias ya no engañan a nadie 169
Residentes no resisten más balaceras 172
La Guardia Nacional disparó casi 400 bombas sobre Terrazas... 174
La Guardia Nacional impidió que María Corina Machado llegara... 176
Senadores mejicanos del PAN condenaron persecución a... 178
La represión al desnudo 180
Herido el presidente del Centro de Estudiantes de la UNIMAR 183
Manifestantes trancaron algunas calles y avenidas de... 190
Policías, Guardias Nacionales y civiles armados atacan... 191
A dos años de la Masacre de Macuto 193
El delito de no liberar detenidos con boleta de... 195
El General de la Dignidad Militar 198
About the Author 203

Preface

No me cansaré de repetirlo: las relaciones del teniente coronel (retirado) Hugo Chávez y su pupilo el narcodictador Nicolás Maduro, con la Constitución Nacional han sido incestuosas.

El Artículo 68 de "La Bicha", como llamaba el ex golpista que el 4 de febrero de 1992 encabezó un fallido golpe de fuerza en contra del entonces presidente Carlos Andrés Pérez, establece que "Los ciudadanos y ciudadanas tienen derecho a manifestar, pacíficamente y sin armas, sin otros requisitos que los que establezca la ley. Se prohíbe el uso de armas de fuego y sustancias tóxicas en el control de manifestaciones pacíficas".

Sin embargo, en enero de 2009, contraviniendo ese derecho constitucional Chávez ordena echar gas "del bueno" contra las manifestaciones de estudiantes.

Ese siniestro personaje de la historia contemporánea del país, pisoteando lo que en su momento calificó de ser la mejor constitución del mundo, aseguró el día 17 de ese mes y año que, en respuesta a las recientes manifestaciones estudiantiles, que ha dado la orden al ministro de la Defensa, al ministro del Interior y al jefe de la ya extinta Policía Metropolitana de Caracas, de echar gas del bueno y meter preso a todo aquel que cree disturbios en el país.

El 23 de enero de 2015 la periodista Catalina Lobo-Guerrero de El País, España, se refirió a la Resolución 8610 firmada por el ministro de Defensa, Vladimir Padrino López, y publicada en la Gaceta Oficial, que faculta al ejército, inconstitucionalmente, para el uso de armas de fuego a los fines de controlar las manifestaciones y reuniones públicas. Ese inconstitucional instrumento legal autorizaba a las fuerzas de extermino de la narcodictadura a reprimir los manifestantes como enemigos externos, pero sin las garantías que en un conflicto bélico se dispensa a los prisioneros en cuanto a la protección de su integridad, al contrario, son tratados con barbaridad suma, mediante torturas de toda índole, desaparición forzosa, incomunicación, negativa a suministrarles alimentos y tratamiento médico, etc.

Ese texto Rocío Sanmiguel, presidente de la ONG Control Ciudadano, que vigila a las Fuerzas Armadas, fue calificado en su cuenta en Twitter como una decisión precipitada e inconstitucional, cuyos aspectos positivos que incluye la resolución quedan opacados frente al uso mortal de la fuerza.

La referida Resolución, que no distingue entre manifestaciones pacíficas y violentas, contraviene los artículos 68 de la Constitución, que prohíbe el uso de armas de fuego y sustancias tóxicas en el control de manifestaciones pacíficas, y 329 que delimita las funciones y responsabilidades de cada cuerpo de seguridad. Además, abarca toda la Fuerza Armada Nacional, aunque constitucionalmente solo la Guardia Nacional tiene competencia para mantener el orden público, y esto en caso de que la policía no esté en condiciones de hacerlo. En la realidad, la excepción constitucional fue convertida en regla, pues la Guardia Nacional ha estado presente en la represión violenta y desconsiderada de las manifestaciones de toda índole, que le han granjeado el desprecio de la ciudadanía comprometida con los valores democráticos.

> Para la narcodictadura, todas las manifestaciones opositoras y de la sociedad social, aunque sean pacíficas, se convierten por la presencia de los colectivos que forman parte del PSUV, en violentas, ya que infiltra elementos armados de esa organización parapolicial para así justificar la acción criminal de los cuerpos de exterminio, vale decir, la Guardia Nacional, el SEBIN y otros componentes de las Fuerzas Armadas

Por otro lado, organizaciones de derechos humanos han dejado claro que la Resolución 8610 contradice las disposiciones de la Corte Interamericana de Derechos Humanos contra el Estado Venezuela, a raíz de los hechos violentos ocurridos en 1989, conocidos como El Caracazo cuando para controlarlos el gobierno del presidente Carlos Andrés Pérez puso en marcha el Plan Ávila y sacó al ejército a la calle para restaurar el orden.

> Las protestas contra la narcodictadura iniciadas en todo el país a partir del 12 de febrero de 2014 dejaron un saldo de 43 asesinatos y centenares de heridos por porte los cuerpos represivos y los círculos del terror. Igualmente, centenares de presos políticos, que el defensor público califica de políticos presos

Sobre el particular Inti Rodríguez, investigador de la ONG Provea, acusó al régimen de militarizar el orden público y reveló que dicha institución ve con preocupación la creciente ola de criminalización y represión de las protestas desde que Maduro asumió la presidencia.

Resolución totalmente inconstitucional porque establece necesitar una autorización previa para organizar cualquier marcha y la de declarar como "ilegal" la manifestación en ciertos municipios, bajo la presunción de que se registrarán actos violentos antes incluso de que sucedan.

Además la narcodictadura le ha dado vida a las milicias obreras, comandos antigolpes y brigadas especiales que militarizan más a la sociedad civil y promueven una respuesta de choque ante cualquier conflicto que pueda surgir, en vista del deterioro de la situación económica y el descontento por la alta inflación, la escasez de alimentos y los servicios públicos deficientes que llevaron a los venezolanos a manifestarse en más de 5.400 ocasiones en distintas partes del país, solo en 2014, según la antes mencionada ONG Provea. Por su parte el Observatorio de Conflictividad Social reportó 9.286 protestas, es decir, 26 diarias durante el mismo periodo, la mitad de ellas contra el Gobierno de Maduro.

Según ha denunciado Alexander Cambero la arremetida brutal de la narcodictadura contra la disidencia tiene dos orientaciones, mantenerse en el poder al precio que sea y vengarse de aquellos que hicieron que la imagen internacional del régimen quedara deteriorada. Con la correspondiente mancha imborrable en el testamento imaginario del legado de su comandante eterno. Su revolución bañada en sangre, mostrada al mundo tal como es: un proceso decadente en donde las peores cosas suelen ocurrir...

Dos siniestras herramientas, contrarias a las disposiciones constitucionales en materia de derechos humanos y el control de manifestaciones de protesta, puso en vigencia el siniestro ministro de la Defensa Vladimir Padrino López. Se trata del Plan Zamora, émulo del Plan Ávila, y la Resolución 8610 que autoriza el uso de efectivos militares en la represión de protestas ciudadanas como si fueran enemigos externos.

La justicia de la narcodictadura ha sido llamada kafkiana por expertos en la materia, en referencia a la novela El proceso, de Franz Kafka. Igualmente, se le considera extraída de las novelas 1984 y La rebelión en la granja, de Orson Welles.

De tal manera, que se ha dado casos de miembros de ONG defensoras de los derechos humanos detenidos por la Fiscalía al hacer denuncias referentes a sus funciones.

Por otro lado, la sumisa Asamblea Nacional, de mayoría chavista o prochavistas mimetizados de oposicionistas, en mayo de 2022 se encaminaba a poner en manos de la narcodictadura una Ley para controlar las ONG, uno de cuyos artículos establecía que los recursos externos que estas reciban deben ir a un fondo que administraría el régimen.

No resulta extraño que los cuerpos de exterminio de la narcodictadura reciban directrices del G2 cubano para cometer todo tipo de atrocidades contra los manifestantes, y por si fuera poco, la Guardia Nacional utiliza guerra psicológica en la comisión de sus tropelías en casi y absoluta impunidad, ya que las poquísimas veces que intervienen la fiscalía del Ministerio Público, los tribunales de justicia y la Defensoría del Pueblo llegan solamente hasta las atacantes de quienes protestan a los que aplican medidas mínimas, dejando a salvo la cadena de mando.

Este trabajo, una contribución a la memoria histórica de la barbarie castro-chavista- madurista-militarista ha sido redactado en su totalidad con casos que he tomado de la Web y tiene como propósito fundamental sacarlos de su escondite digital, ordenarlos y darles forma de libro para que las nuevas generaciones, las que desde 1999 a la fecha, mayo de 2002, han conocido solo dos siniestras caras en la presidencia de la República, la del teniente coronel (retirado) Hugo Chávez, quien amenazó con estar siempre en el poder, y la del narcodictador Nicolás Maduro, un autobusero del Metro de Caracas que éste designó como su sucesor, el cual, ha sido eficiente en la destrucción del país que iniciara su mentor político y que no pudo concluir porque la muerte en diciembre de 2012, o en marzo de 2013, según la versión que utilice lord lectores para documentar. En todo momento se ha dejado constancia de cada texto. Las fotografías de la portada y los textos tienen el mismo origen digital y así lo declaro.

Protesta dejó cuatro heridos en Mérida

El jueves 22 de mayo de 2014 El Universal reportó el enfrentamiento entre policías y universitarios en la avenida Tulio Febres Cordero de Mérida.

-Por cuarto día consecutivo, -indicó- estudiantes de la Universidad de Los Andes tomaron la avenida Tulio Febres Cordero para exigir la libertad de sus compañeros detenidos en el país y rechazar la criminalización de la protesta.

La manifestación fue disuelta por efectivos de POLIMERIDA lanzando perdigones y gases lacrimógenos a los estudiantes, quienes respondieron a los ataques de la fuerza pública.

La nota refirió que "El estudiante, Armando Maggiorani, recibió, según la presidente de la Federación de Centros Universitarios, Liliana Guerrero, un disparo en el hombro izquierdo, cuando grupos armados de motorizados ingresaron a la Facultad de Medicina, disparando contra quienes allí se refugiaban.

El Universal explicó que "La protesta comenzó justo cuando culminó la clase magistral que se realizó en el edificio del rectorado de la ULA, en el marco del paro de profesores universitarios, el cual en esta casa de estudios se cumplió en un 85%".

Protestas en Carabobo dejaron ocho heridos

"Seis manifestantes y dos funcionarios de la Policía de Carabobo resultaron heridos durante los enfrentamientos registrados durante las protestas ocurridas este lunes en la urbanización Palma Real del sector Mañongo en el municipio Naguanagua del Estado Carabobo", reportó Marianela Rodríguez el 28 de abril de 2014.

-Los enfrentamientos –explicó- comenzaron aproximadamente a las nueve de la mañana cuando comisiones de la policía regional y de la Guardia Nacional Bolivariana a bordo de cuatro vehículos anti-motín tipo tanqueta, llegaron al lugar de la protesta con la intensión de disolverla y fueron enfrentados por los manifestantes.

Manifestantes con los rostros cubiertos subieron a la azotea de una edificación en construcción ubicada en el sector donde se registraron las escaramuzas y desde allí lanzaron cohetones y una bomba molotov que cayó sobre una tanqueta, pero el fuego fue extinguido antes de destruir el vehículo.

Añadió que "Los manifestantes heridos, quienes debieron ser trasladados a diferentes centros de salud para ser atendidos, presentaron heridos con disparos de perdigones y "metras" en las piernas, manos, caras y abdomen".

Joven Aragueño asesinado en protestas

Durante las protestas cívicas en contra de la narcodictadura del 30 de abril de 2019celebradas en todo el país bajo el nombre de Operación Libertad fue asesinado en La Victoria, Estado Aragua, por fuerzas represivas, el joven Samuel Méndez, de 26 años.

La información fue dada a conocer el 1 de julio del referido año por el periodista Alfredo Morales, de El Pitazo, quien indicó que la víctima solo quería un país mejor y por eso decidió quedarse en Venezuela porque decía que aquí todavía había esperanza.

-Han pasado casi tres meses del asesinato del joven Samuel Méndez, en las protestas del 30 de abril registradas en La Victoria, Estado Aragua, y hasta ahora no hay responsables, detenidos o investigados por este crimen.

Por tal motivo, familiares de Samuel, en compañía del diputado aragüeño José Gregorio Hernández, presentaron este caso en la comisión de política interior de la Asamblea Nacional. Aspiran también llevarlo ante la Comisión de Derechos Humanos de las Naciones Unidas

Según el diputado Hernández, ese día también resultó herido otro joven y explicó que los responsables de la muerte de Samuel son presuntamente colectivos armados que lo secuestraron en medio de la manifestación y lo llevaron al urbanismo Ciudad Socialista, donde lo ajusticiaron con un tiro a quemarropa en el pecho.

Igualmente revelo:

-Allí se encontraban policías municipales y de la policía de Aragua, también estaba la alcaldesa y el jefe de seguridad ciudadana del municipio, quienes no hicieron nada para evitar este lamentable suceso, y quienes además no han hecho nada para posteriormente aclarar la situación y aprehender a los responsables de esta acción.

Respuesta del gobierno a protestas es la misma que se dio en el "Caracazo"

El 28 de abril de 2014 la activista en derechos humanos, Liliana Ortega, entrevistada por los periodistas Boris Saavedra y Marú Morales P., destacó que hasta esa fecha del año "van tres veces más detenciones que en la revuelta de 1989".

Sin embargo, aclaró que hay prácticas que debieron haberse superado y que por el contrario se han acentuado porque se "ha criminalizado a las víctimas, se han desconocido violaciones graves a los derechos humanos y se han minimizado los hechos de las protestas".

-Al cierre de esta edición, desde el 12 de febrero –escriben luego las periodistas-hay 1.406 personas que tienen medidas cautelares de un total de 2.500 detenciones, privados de libertad son 106, de acuerdo con cifras del Foro Penal Venezolano. "Si se puede establecer alguna referencia de estos hechos con los del Caracazo, guardando las distancias, se puede hablar de que, de 650 personas que resultaron detenidas en 1989, un aproximado de 95% quedó en libertad plena. Al contrario de este momento, cuando hay tres veces más detenidos que en la revuelta popular de inicios del gobierno de CAP. Hay una gran cantidad de personas que no tienen libertad completa solo por protestar. Hoy hay una crisis de derechos humanos en el país", explica Ortega.

Otro entrevistado, el director de Provea, Marino Alvarado, acusó al gobierno de Nicolás Maduro de haber asumido la política de la seguridad nacional, común en los regímenes dictatoriales del Cono Sur, como política de Estado.

"No se puede decir –indicó- que la represión es solo una estrategia del gobierno, es una política de Estado porque se utiliza toda la estructura judicial y política para criminalizar a los que protestan", denuncia. El experto en derechos humanos explica que la característica de esta política es colocar la seguridad del Estado sobre la seguridad ciudadana. "Todos son sospechosos, esa es la forma de aplicar la justicia a través de la doctrina de la seguridad nacional".

Alvarado advirtió también sobre prácticas que no se habían visto en los últimos tiempos.

-Hubo un abogado –reveló- que fue detenido cuando estaba ejerciendo sus oficios de defensa; recientemente hubo menores de edad que no solo fueron detenidos, también fueron presentados ante tribunales y la sentencia del TSJ que criminaliza la protesta. Esto es un mensaje desde el gobierno para atemorizar a todos los sectores: a los abogados que defienden a los manifestantes, a los estudiantes de educación media y a todo el que se quiera quejar. Esto es la instauración de una política del miedo.

Sentenció también que el miedo es un mecanismo de control para mantener a raya el descontento social.

A su entender, "eso va a fracasar", porque "Históricamente se ha visto que cuando un gobierno restringe los derechos de los ciudadanos a quejarse, a legítimamente de demostrar su descontento, el mismo gobierno estimula las protestas violentas porque la gente se ve ahogada".

Por otro lado, el Colegio de Abogados de Caracas en un comunicado público afirmó que la Sala Constitucional del Tribunal Supremo de Justicia toma atribuciones que no le competen al reescribir la Ley de Partidos Políticos, Reuniones Públicas y Manifestaciones y calificar de delito que no se solicite autorización para protestar.

-Solo en regímenes totalitarios los jueces se atreven a derogar y a violentar derechos humanos, desaplicar artículos de la Constitución y de los convenios y tratados de derechos humanos, tergiversar la ley, legislar sin competencia para ello, crear delitos penales en contra del principio de la reserva legal", se lee en un comunicado divulgado ayer por el órgano colegiado.

De igual modo, "Un Mundo sin Mordaza criticó que la Sala Constitucional exprese que la protesta no es un derecho absoluto.

"Al tomar esta decisión, -observó- el Tribunal Supremo de Justicia está desligándose de sus funciones principales, las cuales le dan la potestad de interpretar una ley, mas no le permiten penalizar hechos que no estén previamente estipulados en el Código Penal Venezolano", manifestaron a través de un escrito.

Las periodistas citaron asimismo "La violación de 10 derechos humanos y la ausencia de detenidos por denuncias de tortura en Lara" identificados por la Asociación Civil Justicia, Solidaridad y Paz en su informe sobre la actuación del Estado en el control de manifestaciones desde el 12-F.

Según ese documento, "los principales actores en las violaciones de derechos humanos, por acción u omisión, son funcionarios policiales, militares, fiscales y jueces" y "Los derechos transgredidos son integridad personal, justicia, libertad de expresión y de información, libertad personal, manifestación, debido proceso de detenidos o privados de libertad, seguridad ciudadana, inviolabilidad del domicilio, autonomía universitaria y el derecho a la vida".

El informe cita el caso de Willy Armas, de 29 años, detenido el 7 de marzo cuando se dirigía a su casa.

-El hombre, con déficit cognitivo leve y trastorno del lenguaje, señala- se topó con una manifestación que estaba siendo repelida por la GNB. Fue herido con perdigones, capturado, golpeado y trasladado a las instalaciones del Comando DESUR, "donde fue torturado y amenazado de muerte por funcionarios de la GNB, según su testimonio".

Otro caso se registró el 12 de marzo, cuando 8 mujeres fueron capturadas, torturadas, amenazadas de ultraje y se les rapó el cabello dentro del Destacamento 47 de la GNB.

El documento agregó que "34 % de los detenidos manifiesta no haber estado involucrado en las manifestaciones o argumenta que para el momento en que se desencadenó el disturbio ya se había retirado de la zona".

Quemaron el altar del estudiante Bassil Dacosta en La Candelaria

El domingo 30 de marzo de 2014 un despacho sin firma de El Universal informó:

-Caracas. - El pasado sábado en la madrugada grupos violentos lanzaron una bomba molotov en la esquina de Tracabordo en la Candelaria y quemaron del altar que había colocado la comunidad en honor a Bassil Dacosta, quien fue asesinado en medio de las protestas el pasado 12 de febrero, sin embargo, hoy los vecinos restauraron el lugar nuevamente.

El Universal añadió:

-Carlos Julio Rojas, coordinador de la Asamblea de Ciudadanos de Candelaria, explicó que las acciones de los colectivos violentos tienen atemorizados a los vecinos del municipio Libertador, recorren las calles en motos portando armas de fuego, lanzando disparos al aire e incluso golpeando a habitantes a diestra y siniestra.

El dirigente vecinal indicó además que "Lo ocurrido con el altar de Bassil es solo un reflejo de las acciones terroristas de estos grupos que actúan bajo el amparo de los cuerpos de seguridad del estado, usando invasiones como guarida desatan el miedo en los caraqueños. Pero nuestra respuesta a la destrucción es la construcción".

El término represión se manipula en Venezuela?

El 30 de marzo de 2014 El Nacional.Web le dio cabida a una declaración en la que entonces comandante Estratégico Operacional, Vladimir Padrino López, se preguntó: "¿Cómo puede llamarse represión la acción del Estado que suprime la violencia y el terror?" y aseveró que la paz retornará al Táchira.

> Será la paz de los sepulcros, pues la narcodictadura se sostiene con la represión, que provoca el terror

Por otro lado, "En un mensaje publicado en su cuenta de Twitter (@vladimir-padrino), Padrino López precisó que el Estado garantiza los derechos del pueblo. "La protesta pacífica y sin armas es constitucional. ¿Por qué la violencia se ha impuesto?"

Asimismo, precisó que el término "represión" ha sido manipulado en Venezuela. "¿Cómo puede llamarse represión la acción del Estado que suprime la violencia y el terror?".

Quien como premio sería designado ministro de la Defensa por Nicolás Maduro, no dice en las redes sociales que la Constitución y las leyes prohíben el uso de gases lacrimógenos y armas de fuego contra quienes manifiestan pacíficamente. Ni tampoco refiere las agresiones mortales de los colectivos del terror en contra de quienes difieren de la narcodictadura.

Son miles de personas asesinadas por los cuerpos represivos del régimen.

Eso lo calla Padrino López, quien en 2019 era el sostén armado de Nicolás Maduro.

Más armamento ruso para asesinar al pueblo

El 5 de julio de 2019 el diario Notitarde, de Valencia, Estado Carabobo, reportó "Rusia continuará desarrollando sus relaciones «de amistad» con Venezuela lo que incluye también actividades destinadas al fortalecimiento de las capacidades militares del país, afirmó hoy el viceministro de Exteriores ruso, Serguéi Riabkov, y añadió: "Continuaremos trabajando en el desarrollo de nuestras relaciones de amigos y aliados con la hermana Venezuela" dijo el diplomático ruso al asistir en Moscú a un evento con motivo de los 208 años de la firma del acta de independencia del país caribeño.

Enfrentamientos entre manifestantes y policías en Táchira

Un despacho de la periodista Lorena Evelyn Arráiz, de El Universal, fechado el domingo 30 de marzo de 2014 informó:

-Habitantes de las avenidas Ferrero Tamayo, Carabobo y parte baja de la principal de Pueblo Nuevo, así como el sector de La Popita y barrio El Paraíso de San Cristóbal, fueron víctimas de la arremetida policial cuando se enfrentaron con manifestantes cuando procedían a levantar barricadas.

Guardia Nacional agrede a estudiantes en Puerto Ordaz

El 30 de marzo de 2014 el periodista Juan Francisco Alonso, de El Universal,

"La noticia de que a un grupo de estudiantes detenidos la semana pasada en Puerto Ordaz (Bolívar) sus captores, efectivos de la Guardia Nacional, los habrían obligado a comer sustancias fétidas durante su encarcelamiento no solo generó revuelo en la opinión pública, sino que hizo saltar las alarmas dentro del Poder Judicial".

El reporte esclareció:

-Al menos esta es la conclusión a la que se arriba al revisar extractos del acta que el Tribunal 2 de Control de la ciudad bolivarense emitió con motivo de la presentación de los afectados, seis jóvenes, entre ellos una menor de edad; y a los que tuvo acceso El Universal.

Agregó que "Durante el acto los fiscales Jairo Chacón y Eurenis López solicitaron al juez Eduardo Fernández que ordenara que se les practicara a los detenidos, a los que se señala de participar en disturbios, una endoscopia para verificar la denuncia.

Una de las víctimas, identificada como Joaquín Pérez Valdez, estudiante de la Universidad Católica Andrés Bello de Puerto Ordaz, relató: "Me daban comida como descompuesta (...) porque olía mal". Otra, una menor de edad que no es identificada aseveró que un militar tomó un pote "que tenía una sustancia de color marrón" y le dijo: "como eres sifrina come sardina y me echó en la boca y me entró por la nariz (...) como pude escupí (...) al principio tenía olor a sardina, luego de escupir me dio olor a basura".

Los detenidos aseguraron al juez y a los fiscales que fueron aprehendidos en la calle, sin estar en las protestas o disturbios y sobre todo en relatarles los malos tratos que sufrieron en poder de la GN, cuyos miembros los tuvieron durante horas en vehículos blindados sin permitirles comunicarse con ningún familiar e incluso como los vendaron.

"A la altura de la Cruz del Papa –refirió una de las víctimas, Pérez Valdez- se me para una tanqueta y me montan de una vez, allí me golpearon, me insultaron, me desnudaron y que porque tenía micrófonos. Me dijeron que bajara la cabeza y como no podía porque soy lisiado de la columna me dijeron que no les interesaba. Me pasaban bombas molotov por la camisa, una fémina me daba con un rolo, 530 bolívares me los quitaron y observé como se los estaban repartiendo. Me quitaron el teléfono, mi novia me mandó un SMS (mensaje de texto) y le respondieron que yo estaba en la guarimba (...) me metieron las bombas en el bolso.

Por su parte, el también estudiante de la UCAB, Luis Marco Ramos, aseveró que fue capturado cuando iba caminando hacía la oficina de su mamá.

-Me dijeron –explicó- que me tirara al piso, un funcionario de la GN me golpeó con su mano por la espalda, caí y me lesioné. Me levanté e intenté defenderme para resguardar mi integridad física (...) Uno de ellos me tomó por el cuello (...) y el otro se paró frente de mí y me apuntó con el arma".

Georgi Mantilla Pérez relató en el tribunal que, al tratar de llegar a pie a casa de su novia, en la urbanización Los Saltos, unos guardias que iban en un blindado lo detuvieron y allí comenzó su suplicio.

Relató:

-Me meten en la tanqueta. Una persona me lanza una camisa roja, me empiezan a patear y a pisar y dos mujeres decían bájenle los pantalones (...) me iban a lanzar de la tanqueta, pero después dijeron no, mejor vamos a violarlo", aseveró.

El periodista comentó que el testimonio de la adolescente que relató lo de la sustancia "olor a basura" fue aún más duro, pues no solo contó a los jueces y fiscales que los militares que la aprehendieron, incluidas funcionarias, la golpearon, sino que trataron de desvestirla y la amenazaron.

-Estuvimos un rato dando vueltas, -reveló- primero hicimos una parada en Los Olivos (un puesto policial) y mientras iba en el trayecto escuchaba que decían lo que les hacían a las mujeres en la cárcel y lo que podían hacer ellas. Me decían que me iban a violar, que había lesbianas, que usarían vibradores conmigo", declaró la joven, quien, aunque dijo que no vio las identificaciones de los uniformados, sí sus caras, y podría reconocerlos.

La brutal represión en el Táchira

El 30 de marzo de 2014 la entonces diputada María Corina Machado denunció en su cuente de Twitter:

-Gente en la calle desde la madrugada porque la GN y la PNB disparaban rompiendo los vidrios de sus hogares...A los valientes y dignos gochos, hoy, cuando el odio del régimen se vuelca contra su tierra, recuerden que no están solos".

MCM se lamentó también de haber recibido "mensajes desesperados" desde San Cristóbal "ante la más brutal represión que han vivido" en esa ciudad.

Agregó que los tuiteros reportaron el uso de armas largas, piedras y gas lacrimógeno "contra los hogares de personas que dormían".

En su denuncia le dijo al narcodictador: "Sr Maduro: comete grave error al cumplir órdenes cubanas de atacar sin piedad al Táchira. Los gochos no se doblegan. El Táchira se respeta".

Esta información fue tomada de El Nacional.

La fiscal Luisa Ortega Díaz rechazó las "guarimbas"

El domingo 30 de marzo de 2014 la entonces fiscal general de la República, Luisa Ortega Díaz, declaro: "Un atentado contra el Gobierno legítimamente electo por la mayoría del pueblo venezolano, presidido por Nicolás Maduro, llevan a cabo los reductos violentos de la derecha que generan guarimbas en municipios del país que cuentan con alcaldes opositores".

El texto divulgado por la Agencia Venezolana de Noticias añadió:

-Durante una entrevista realizada en el programa Venezuela en la Red, transmitido por Canal I, refirió: "Estamos en presencia un atentado contra el Gobierno legítimo (...) ha habido una violencia para deponer al Gobierno por vías inconstitucionales",

AVN señaló:

-En una nota de prensa del Ministerio Público se reitera la investigación de 81 casos de presuntas violaciones a los derechos humanos, ocurridas durante los hechos de violencia registrados en el país desde el pasado 12 de febrero y por el que se encuentran privados de libertad 17 funcionarios de distintos cuerpos de seguridad.

La nota del Ministerio Público destacó "que en un Estado tan garantista y respetuoso de los derechos humanos no se permitirán atropellos contra la colectividad" y explicó "que la Constitución de la República Bolivariana de Venezuela, las leyes y los distintos manuales que tienen los organismos policiales establecen mecanismos para que exista una actuación proporcional y progresiva de los funcionarios".

Por otra parte, indicó que por los hechos de violencia ocurridos en el país entre febrero y marzo han fallecido 37 personas, 559 han resultado lesionadas y 168 se encuentran privadas de libertad.

Agregó que hasta la fecha habían sido incautadas "34 armas de fuego, bombas molotov, niples y C-4" e indicó "que el Ministerio Público presentó 21 actos conclusivos contra las personas presuntamente vinculadas con los mencionados hechos de violencia".

Anunció que semanalmente se informará acerca del avance de las investigaciones; "nosotros vamos a dar respuestas no solamente a los casos en los cuales se presume violación a los derechos humanos, sino también a los casos en los cuales se constituya la comisión de un delito", expresó.

La fiscal general recordó que los hechos de violencia iniciaron con el ataque a la sede principal del Ministerio Público y a "partir de allí se han causado varios daños a la propiedad pública y privada, así como al ambiente".

Señaló también "que las acciones violentas que se han venido desarrollando, a través de llamados irresponsables de algunos factores, buscan crear caos, deponer al gobierno o lograr su renuncia por vías inconstitucionales".

Al ser consultada acerca de su disposición a recibir a los estudiantes para un diálogo de paz, Ortega Díaz resaltó que está abierta al diálogo moderado, a la conversación y al entendimiento, siempre que sea en el marco del respeto.

Esta información fue tomada de El Universal.

Detenido en España el acusado de quemar vivo a joven en protestas

En 2017 Nicolás Maduro culpó a los dirigentes de la oposición de ese acto criminal ocurrido en las inmediaciones de la avenida sur de Altamira.

Al efecto dijo que Figuera fue "víctima de un ataque fascista, víctima de un crimen de odio, que ha conmovido a Venezuela y a la opinión pública decente del mundo".

El ilegítimo fiscal general de la Nación, Tarek William Saab, que solicitó la aprehensión de Franchini Oliveros, reveló que la víctima fue atacada por varias personas que le propinaron varios golpes, hirieron con arma blanca y, posteriormente, la quemaron.

Esta información fue tomada del portal Analítica.com.

SE BUSCA

La Guardia Nacional agredió a mujeres que protestaban en Maracaibo

El martes 2 de julio de 2019, un fuerte estruendo alertó a los vecinos de la Circunvalación Uno de Maracaibo: la subestación eléctrica Miranda explotó minutos después de que una leve lluvia cayera en la ciudad.

Mariela Nava @navamariela, del portal El Pitazo, se refirió a ese hecho en los siguientes términos:

"Una noche de terror", así describió Antonio Chávez, habitante de Socorro, lo ocurrido. "Comenzó a lloviznar y de repente el cielo se puso de todos colores, corrí y bajé todos los breques, pero el estruendo fue horrible. La gente pegaba gritos, los muchachitos lloraban y los aparatos hacían chispa".

Este martes, los vecinos del parcelamiento Arismendi, Socorro, Cinco de julio, La Esperanza, Libertador uno y dos, Sabaneta, Barrio Tricolor, Concepción Palacios, Pomona, San José, Claveles, Santa Rosalía y Buena vista cerraron la Circunvalación Uno, frente a la subestación, para protestar debido a que ya suman más de 20 horas sin servicio eléctrico. Al menos 800 familias están afectadas y 60 electrodomésticos se quemaron.

Johana Gutiérrez, ama de casa, salió a protestar, pero fue reprimida por la Mancomunidad Policial y efectivos de la Guardia Nacional Bolivariana. "Salimos a hacer presión porque no puede ser que nadie nos asiste, no ha venido nadie y CORPOELEC lo que nos dice es que tenemos que esperar. Ellos creen que los trabajos se tardarán de 5 a 6 días y no podemos aguantar tanto. Aquí hay niños, adultos mayores, gente hipertensa, con cáncer y la poquita comida que tenemos ya se está dañando por el calor insoportable que hay. Esto es horrible", dijo la mujer a punto de llorar.

Mariela Navas añadió:

-Se conoció que durante la manifestación tres mujeres fueron agredidas por la GNB física y verbalmente. "Nos asustamos porque esa gente llegó disparando perdigones y como les dijimos que no dispararan, nos agredieron. Nos golpearon y nos gritaban cosas. Nos amenazaron que si volvíamos a protestar ya sabíamos lo que iba a pasar, pero sabemos que si no lo hacemos nos dejan sin luz para siempre porque aquí no hay dolientes. Gracias a Dios no hay heridos", dijo una de las agredidas, que prefirió el anonimato.

Cinco escenas de violencia de una intensa jornada de protestas

El 4 de mayo de 2017 Daniel Pardo, corresponsal en Venezuela de BBC Mundo, reportó:

-Fue la primera gran movilización de la oposición contra la convocatoria de una Asamblea Nacional Constituyente por parte de...Nicolás Maduro, quien le entregó al Consejo Nacional Electoral (CNE) su decreto que formaliza ese llamado.

En un video que se hizo viral en Venezuela, se ve a Maduro en televisión cantando y bailando tras presentar el documento.

Luego, la cámara se gira y muestra desde una ventana cómo las fuerzas de seguridad lanzan bombas lacrimógenas contra los manifestantes, que intentaban en vano llegar a la Asamblea Nacional

Las protestas de este miércoles, que volvieron a ser duramente reprimidas por las fuerzas de seguridad, dejaron unos 350 heridos, según informaron las alcaldías opositoras de Baruta y Chacao.

Las avenidas de numerosas ciudades del país permanecieron cortadas durante horas por las barricadas levantadas por los manifestantes.

BBC Mundo le solicitó al gobierno información sobre los hechos de violencia, pero no obtuvo respuesta, aunque el Ministerio de Interior y Justicia dijo públicamente que estaba investigando la muerte de un manifestante en Caracas.

La fuente digital añadió:

-Esta jornada se puede resumir en algunas de las fotografías y videos que reflejan la tensión que se vive en Venezuela desde principios de abril, a raíz de unas sentencias en las que el Tribunal Supremo de Justicia del país asumía las potestades de la Asamblea Nacional, controlada por la oposición.

En cuanto al saldo trágico de la protesta contra el régimen BBC. Mundo reveló la muerte, en Las Mercedes, Caracas, del joven de 18 años Armando Cañizales por un "trauma penetrante en el cuello sin salida que produjo shock y paro cardiorrespiratorio", según informó el alcalde opositor del municipio de Baruta, Gerardo Blyde.

El video en el que Cañizales es trasladado a una ambulancia en una moto se hizo viral en redes sociales, sobre todo después de que se conociera su muerte.

El periodista del portal Caraota Digital que lo grabó, Luis Olavarrieta, le dijo a BBC Mundo que en ese momento la "represión ya cumplía cuatro horas".

> "No hay tanqueta, bomba o militar que nos saque de las calles": los estudiantes universitarios que protestan contra la represión a las protestas en Venezuela

Olavarrieta añadió:

-Y este muchacho, muy valiente, era de los primeros en la línea opositora", recuerda. "De repente él salta hacia mí, intenta quitarse la careta y se cae. Lo recogen su hermano y otra persona y ahí es cuando empiezo a grabar".

Después se ve en el video el caótico trayecto hacia la ambulancia, donde luego se genera un forcejeo entre el hermano y los paramédicos.

Minutos después, informó Blyde, Cañizales falleció "mientras era asistido".

En otra parte del reportaje BBC Mundo explicó:

-Otra de las imágenes que ha dado la vuelta al mundo es la de una tanqueta pasando por encima de varios manifestantes en la Avenida Ávila, al sur de la simbólica Plaza Altamira.

Fotógrafos y testigos de esta barbarie consultados por BBC Mundo revelaron que el enfrentamiento, empezó con lo que viene siendo habitual: bombas lacrimógenas y agua lanzados desde dos tanquetas, y cócteles molotov y piedras arrojados por manifestantes.

-Las tanquetas, según testimonios y videos verificados, fueron retrocediendo porque quienes protestaban las habían incendiado.

En un momento chocaron y la que estaba más atrás aceleró hacia adelante como si quisiera asustar a los manifestantes. Estos, sin embargo, se quedaron quietos.

Luego, la tanqueta arrancó y pasó por encima de varios, pero sobre todo de uno: la rueda giró por entre su cuello y su pecho.

En el momento de la publicación de esta nota no se sabía quién era esa persona ni qué pasó con ella.

Otra imagen de la barbarie de los cuerpos represivos contra manifestantes fue la de un joven en llamas.

Justo después de que atropellaran a los jóvenes, la Guardia Nacional, según verificó BBC Mundo, se replegó hacia atrás en una suerte de victoria para los manifestantes.

arte de lo que dejaron atrás la tanqueta fue una moto de la Guardia, relataron testigos, que los jóvenes la tomaron como un trofeo.

Empezaron a saltar y cantar sobre ella, dijeron a BBC Mundo, pero en ese momento la moto explotó y salpicó de gasolina a uno de los manifestantes.

De acuerdo con testimonios, estuvo en llamas unos 40 segundos, hasta que sus compañeros lo apagaron a punta de agua.

La fuente no pudo identificar los datos de la víctima.

BBC Mundo mencionó después los disparos a quemarropa hechos por los efectivos de los cuerpos de represión contra los manifestantes.

Al efecto, indicó:

-Otro de los videos virales del día fue tomado en una bifurcación del distribuidor Altamira, también en el este de la capital, donde se concentran la población de clase media.

En ella se ven, de un lado, varios manifestantes opositores resguardados por un muro. Del otro, guardias nacionales lanzando bombas lacrimógenas.

En un punto dos de los guardias llegan a la esquina de la bifurcación y disparan, a quemarropa, una bomba lacrimógena.

"Los chamos no podían ver a los guardias por la manera que configura la bifurcación", dice Luis Gonzalo Pérez, el periodista de "Caraota Digital" que grabó el video.

"A la derecha de la imagen había unas cinco o seis tanquetas; en el momento en que yo grabo eran 30 o 40 guardias contra unos veinte manifestantes", añade.

El periodista, que como tantos otros ha frecuentado escenarios como estos durante este mes de protestas, dice que hay un momento en que la violencia emerge de ambas partes.

"Pero una cosa son piedras que tiran unos y otra, los perdigones que tiran los otros", opina.

Para los periodistas también hay agresión por parte de los cuerpos represivos.

-En otro video de Caraota Digital –precisó BBC Mundo- se ve cómo un guardia Nacional activa una bomba lacrimógena y la deja caer a corta distancia a un grupo de periodistas.

"Causalmente me la lanzan a mí", dice Pérez, también autor de ese video.

"Éramos todo un grupo como de 20 periodistas locales y extranjeros. El guardia se queda viéndonos, le quita el gancho a la bomba y me la pone ahí al pie".

"Yo sé la devuelvo y él la vuelve a lanzar, y ahí es cuando explota".

El video reportero dijo haber resultado herido este miércoles. Contó que una bomba lacrimógena le pegó en la pierna y que además fue tumbado al piso por un chorro de agua lanzado desde tanquetas.

La Guardia Nacional reprimió protesta por gasolina

El 19 de abril de 2020 el diario El Nacional, tras reseñar que reportes en las redes sociales surgieren de que en el día los militares que están a cargo de la gasolinera no quieren despachar el combustible, pero en las noches lo venden de manera clandestina, señaló:

-La Guardia Nacional... reprimió el sábado en horas de la noche a un grupo de personas que protestaba en San Antonio de Maturín, en el Estado

Monagas, por la escasez de gasolina.

La fuente añadió:

-En videos difundidos en Twitter, se observa cuando un grupo de aproximadamente cuatro uniformados tenía rodeado a una persona mientras forcejeaban.

"Suéltenlo", gritó una de las habitantes de la comunidad.

Luego, uno de los oficiales se fue en contra de la persona que estaba grabando la represión.

En otro de los audiovisuales se escuchan dos detonaciones y se ve a varios militares y ciudadanos en plena confrontación. Se nota con claridad el momento en el que uno de los uniformados le da una patada a un hombre.

Horas antes, las personas manifestaron en la estación de servicio de San Antonio de Maturín por las fallas en el despacho de gasolina.

El Nacional también dio cuenta de eventos similares en otras zonas del país.

La protesta silente de los médicos

El 23 de octubre de 2020 "Con pancartas y en silencio, los trabajadores de la salud de Carabobo marcharon este sábado desde el Colegio de Médicos hasta la Redoma de Guaparo, en Valencia, para exigir la liberación del Dr. Alexis Riera, detenido el pasado 10 de septiembre por la presunta venta ilícita de medicamentos", reportó Francis Tineo, de El Carabobeño.

La fuente añadió:

-Algunos miembros de la sociedad civil que se habían sumado a la manifestación se sintieron intimidados por la presencia policial, pero la tensión disminuyó cuando los oficiales se limitaron a observar la concentración que transcurrió sin violencia.

La lluvia no impidió a los representantes de distintas asociaciones gremiales atender al llamado de la ONG Médicos Unidos de Venezuela, capítulo Carabobo: una manifestación pacífica en rechazo al amedrentamiento de las autoridades contra el personal de la salud.

Riera explico igualmente:

-Patrullas de la Policía de Carabobo se acercaron para vigilar de cerca a los manifestantes. Algunos funcionarios fotografiaron a las personas de batas blancas que tuvieron el cuidado de mantener distancia preventiva ante la pandemia.

Una pancarta gigante exigiendo la libertad del Dr. Riera fue el foco de atención de los transeúntes. Ninguno de los protestantes consiente que el respetado director de la Ciudad Hospitalaria Enrique Tejera cumpliera 47 días de detenido.

Además, la directora de la organización de médicos en Carabobo, Leyla Ortiz, indicó que el gremio seguirá defendiendo al cirujano y también profesor universitario por haber demostrado dentro del hospital, y en otros ámbitos sociales, ser una persona digna, responsable y honesta. "No tenemos por qué poner en duda ninguna de esas cualidades. Si quieren investigar, investiguen. El debido proceso es lo que exigimos".

El diputado a la Asamblea Nacional por Carabobo, Ángel Álvarez Gil, consideró que la privación de libertad del Dr. Alexis Riera es una aberración jurídica y espiritual contra una persona honorable. "Lamentablemente está sufriendo las embestidas del régimen que, bajo ningún concepto, respeta los Derechos Humanos. Hoy un médico decente está tras las rejas, mientras que muchos delincuentes están en las calles".

Riera indicó también que el médico a la fecha llevaba 47 días detenido y que los manifestantes, en silencio, llevaban banda negra alrededor del brazo en símbolo de luto por colegas fallecidos.

- Ni los cornetazos de apoyo de los conductores de paso –observólograron romper el mutismo. Para Ortiz la protesta silente no sólo era por el Dr. Riera, sino por todas las víctimas de Covid-19 que pudieron evitarse si en los centros hospitalarios de Carabobo hubiese insumos necesarios. “Por eso tenemos esta cinta negra en el brazo, porque hemos tenido muchas muertes, hay colegas fallecidos. La hora de silencio es también una hora de luto”.

Un nuevo patrón para reprimir

El 23 de febrero de 2014 el diario El Universal publicó:

-Miembros de colectivos armados junto a militares reprimiendo a los manifestantes. Ataques contra vehículos particulares y edificios residenciales. Denuncias de torturas. Asesinados con tiros en la cabeza.

Las mismas imágenes que se repiten en distintas ciudades del país, en el marco de las protestas contra el Gobierno de Nicolás Maduro.

"No recuerdo un cuadro de acompañamiento tan sistemático entre grupos paramilitares en combinación con efectivos de la Fuerza Armada y cuerpos de seguridad del Estado", señaló Rocío San Miguel, presidenta de Control Ciudadano.

El Universal expresó luego:

-La presunta cooperación entre agentes del Estado y bandas de civiles armados al momento de responder a los manifestantes, hacen que San Miguel destaque la existencia de "un mando que está coordinando estas actuaciones, pues no es casualidad que se observen esos patrones en tantos sitios geográficos distintos".

La portavoz de Control Ciudadano apunta que "hemos recibido de manera anónima información sobre la posibilidad del uso de mercenarios" en los operativos del Gobierno para frenar las protestas.

San Miguel también advierte que el Ejecutivo podría estar creando "falsos positivos" para justificar la represión. ¿Y qué es un falso positivo? "Es la simulación de un hecho punible perpetrado por infiltrados para atribuírselo a la oposición. Llama la atención la capacidad del Gobierno para filmar los ilícitos y mostrarlos como ataques fascistas en lugar de intervenir con la FAN para evitar que esto ocurra", responde...

También sobre esa irregularidad opinó Liliana Ortega, directora de la ONG COFAVIC, quien subrayó que en el país "hay una falencia sistemática en el ámbito de los derechos humanos con relación al control del orden público".

Y recordó que la Corte Interamericana de Derechos Humanos en sus sentencias por los casos del "Caracazo", el retén de Catia y las desapariciones forzadas en el Estado Vargas en 1999 dejó en evidencia "la falta de procedimientos adecuados a los DDHH para controlar el orden público".

La experta legal precisó que la Constitución estipula que las medias de seguridad deben ser desarrolladas por policías de carácter civil y no por militares.

Ortega coincidió con San Miguel en que parece existir "una especie de patrón" que se caracterizaría por "la presencia de grupos de civiles armados que podrían contar con la tolerancia del Estado". De comprobarse esta hipótesis, "estaríamos frente a gravísimas violaciones de los DDHH", acota.

La vocera de COFAVIC consideró que los disparos indiscriminados contra residencias familiares, y los disparos de perdigones o de gases tóxicos a corta distancia contra manifestantes "pueden configurar el delito de tortura, visto el daño que ocasionan a las víctimas".

Otro elemento sobre el que llama la atención Ortega es la "criminalización de la protesta a través de la judicialización". "Muchos de los detenidos salen en libertad restringida, con cargos y amenazas de juicio que trastocan sus proyectos de vida por el hecho de protestar", apuntó.

Las palabras que el viento se llevó

"No acepto grupos violentos en el campo del chavismo y la revolución, quien quiera tener armas para combatir con armas, que se vaya del chavismo", exclamó Nicolás Maduro el sábado 15 de febrero de 2014 en la avenida Bolívar de Caracas, luego de que los medios de comunicación social se hicieran eco de las denuncias sobre la actuación conjunta de colectivos armados y efectivos militares en la represión contra las protestas estudiantiles.

En ese discurso, recordó Pedro Pablo Peñaloza, del diario El Universal siete días después, Maduro señaló: "Aquel que salga con armas a la calle, se procederá legalmente. Tiene que haber disciplina, mando único, claridad estratégica, verticalidad en el mando y en el comando de la revolución".

El periodista adicionó:

-Tres días antes de esa advertencia, tras informar sobre el asesinato de Juan Montoya, coordinador del Secretariado Revolucionario de Venezuela, el presidente de la Asamblea Nacional, Diosdado Cabello, pidió a los colectivos de la parroquia 23 de enero "calma y cordura", que "confíen en nosotros". Igualmente juró castigar a los culpables de la muerte de Montoya, cuya organización agrupa a colectivos de la capital y el Estado Vargas.

En el referido texto periodístico de PPP el abogado criminalista Fermín Mármol García relató que los colectivos armados tienen su origen en los grupos subversivos de izquierda radicados en el 23 de Enero.

"En principio –aclaró- eran los Tupamaros, pero en la década de los 80 comienzan las divisiones y surgen otras formaciones".

Así habrían nacido los Carapaica, Alexis Vive y La Piedrita, entre otras agrupaciones que se identifican como chavistas radicales y militantes del proceso bolivariano.

Según el experto, "En Venezuela hay alrededor de 1.136 parroquias distribuidas en 335 municipios y, al menos, existe presencia de colectivos armados en un centenar de parroquias", sostiene.

Mármol García reconoció que "estos grupos de izquierda subversivos siempre han existido"; sin embargo, dice que desde la llegada de la revolución chavista en 1999 se han "fortalecido y reconocido su beligerancia".

Los colectivos violentos 'se autodenominan guardianes de la revolución, utilizan símbolos y colores del partido de Gobierno y tienen innegables amistades en el alto Gobierno, lo que les permite contar con una patente de corso que los ubica por encima del ordenamiento jurídico", resumió.

En Barquisimeto motorizados chavistas destrozaron vehículos

El 23 de febrero de 2014, Edy Pérez Alvarado, en un reportaje especial para el diario El Universal, reseñó:

EN BARQUISIMETO MOTORIZADOS CHAVISTAS DESTROZARON VEHÍCULOS

Barquisimeto. - Eran las 8:00 de la noche del viernes y se escuchaba el estruendo repetido de las explosiones.

Los vecinos del bloque 6 de Patarata permanecían encerrados en sus apartamentos. Frente a las residencias en la sede de CORPOLARA, en la avenida Libertador, estaba un grupo de aproximadamente 30 motorizados que gritaban:

"Las calles son de los chavistas, salgan pues".

Daban vueltas en círculos al tiempo que los militares pasaban en sus motos y, quitaban las barricadas hechas con basura que los vecinos colocaron para continuar con las protestas en contra de las políticas del Gobierno nacional, que en Barquisimeto llevan 11 días consecutivos.

Al ver que los motorizados andaban encapuchados, los vecinos se quedaron tranquilos, solo se escuchaba el sonido de pocas cacerolas. Pero de repente los motorizados se unieron y decidieron entrar al área de estacionamiento del edificio residencial, ubicado en Barquisimeto.

Cuando lograron quitar el portón empezaron a lanzar cohetes para amedrentar a los habitantes. Luego se escucharon detonaciones parecidas a disparos y la explosión de bombas molotov se multiplicó en reiteradas ocasiones.

Los atacantes decían "Viva Chávez" al tiempo que rompían los vidrios de los vehículos allí estacionados.

Se metían dentro de las unidades, sacaban reproductores y cualquier objeto de valor que encontraron y luego seguían de carro en carro, destruyeron los vidrios de más de 10 vehículos particulares.

Para cerrar de manera trágica el ataque violento en contra de la propiedad privada del estado, les prendieron fuego a tres carros.

Los vecinos aseguraron que, a las afueras del portón, un grupo de militares esperaba montado en motos a que los violentos salieran. "Los destrozos lo hicieron en menos de 15 minutos y se fueron escoltados por funcionarios de la Guardia Nacional Bolivariana y más atrás pisó la tanqueta del componente militar".

La detención de manifestantes en Barinas

Un despacho especial del periodista Wálter Obregón para el diario El Universal, expresó:

-Barinas. - Carolina Herrera se encontraba el viernes por la noche en el sector Ciudad Varyná, retirando unos cauchos de la vía para que pasara el vehículo donde se trasladaba, cuando fue detenida por la policía, denunciaron sus familiares.

En esta comunidad la tensión no ha bajado. Durante la semana, los vecinos salen a colocar barricadas que luego son incendiadas y aseguran que esa seguirá siendo su rutina hasta que el Gobierno rectifique.

Cada noche ha habido personas detenidas, pero los habitantes de Ciudad Varyná dicen estar firmes en sus acciones de calle, que califican de pacíficas y culpan a la policía de fomentar los hechos violentos. Anoche, hubo presencia de personas protestando en el sector Don Samuel, donde los vecinos aseguran que detuvieron tres personas más.

Allanan las oficinas del coronel José Machillanda

Una docena de efectivos de la Dirección de Inteligencia Militar (DIM) allanaron ayer la residencia y las oficinas del coronel retirado, José Machillanda, en Caracas, informó el diario El Universal en la edición correspondiente al 23 de febrero de 2014.

-Los uniformados –explicó la fuente- llegaron a la casa de Machillanda, ubicada en la urbanización El Placer, Municipio Baruta, cerca de las 7:00 de la mañana y permanecieron allí durante dos horas y media.

Los efectivos de la DIM, según informó Machillanda "Revisaron la biblioteca y se llevaron computadoras, pendrives, teléfonos, mi agenda personal, y gran cantidad de material que tiene que ver con un proyecto académico".

El oficial retirado, quien es profesor de la Universidad Simón Bolívar y director del Centro de Estudios de Política Proyectiva (CEPPRO), añadió que terminada esta inspección. los militares se trasladaron a sus oficinas en el edificio Tajamar de Parque Central para continuar la pesquisa.

Machillanda, quien fuera profesor de ética del difunto Hugo Chávez, rechazó la medida en su contra ordenada por la Fiscalía número 50 y negó que estuviera conspirando contra el régimen de Nicolás Maduro.

-Todo esto tiene que ver –refirió el oficial retirado y profesor universitario- con una expresión un poco denigrante que utilizó el señor Nicolás Maduro, proclamado presidente por el Consejo Nacional Electoral, alrededor de mi persona y en función de cómo yo puedo influir sobre la situación política del país y el entorno interno militar, que hoy se dice que es un entorno tenso por la enorme ingobernabilidad que hay a lo interno del componente armado.

14 heridos con perdigones dejó una manifestación en Altamira

El 23 de febrero de 2014 el diario Últimas Noticias reportó:

-La plaza Altamira ha sido escenario de protestas desde hace 11 días continuos y este sábado en la tarde 25 personas resultaron heridas informó el alcalde de la localidad Ramón Muchacho. Detalló que 14 por heridas de perdigones, 9 con contusiones y dos por disnea por gases.

En los dos últimos días las acciones de dispersión habían cesado al igual que la intensidad de las protestas, pero este domingo luego de una concentración en la avenida Francisco de Miranda un grupo de manifestantes se trasladaron hasta Altamira para levantar barricadas y continuar sus acciones de calle, generando la reacción de los efectivos para dispersarlos con gases.

Últimas Noticias añadió:

A través de su cuenta en Twitter Muchacho afirmó que alrededor de las 6:00 de la tarde la Policía Nacional Bolivariana tomó la plaza Altamira "mucho gas afecta Altamira, Bello Campo, La Cruz", detalló.

Un menor de edad fue detenido por lanzar una molotov a funcionarios de POLICHACAO. "Estamos rescatando a varios heridos de perdigón en Chacao Ya tenemos a 5 en Salud Chacao", agregó el alcalde.

Informó que tuvieron que retirar la ambulancia y personal que se encontraba en Wendy's de La Castellana por agresión de manifestantes y acotó que no hay heridos de bala.

30 civiles y 6 militares muertos desde el 12F

El 26 de marzo de 2014 el periodista Eligio Rojas, del diario Últimas Noticias, reportó:

-30 civiles y seis militares han resultado fallecidos desde el 12 de febrero pasado cuando la oposición inició una serie de protestas bajo el título de "La Salida", muchas de ellas derivadas en violentas. 25 son por disparos con armas de fuego. Además, se contabilizaban hasta el pasado martes 314 civiles heridos y 140 policías y militares.

El jefe del Comando Estratégico Operacional de la Fuerza Armada, Vladimir Padrino López dijo en Ciudad Bolívar que estamos en presencia de una "insurgencia subversiva armada".

Rojas detalló luego:

-Entre las 36 víctimas se encuentran 20 personas asesinadas en protestas violentas, 6 fallecidos al tropezar con barricadas colocadas en vías públicas, 3 asesinados en medio de esos obstáculos y 6 ultimados en otras circunstancias, según registros de ÚN basado en informaciones publicadas y comunicados oficiales.

Entre los civiles muertos hay 11 estudiantes, tres mototaxistas, tres obreros, dos amas de casa y un ingeniero. El listado incluye ocho funcionarios públicos: 6 guardias nacionales, un fiscal del Ministerio Público y una detective del SEBIN.

Las 35 personas fallecidas se distribuyen en nueve de las 24 entidades federales del país. Carabobo lidera la lista de muertos con 9, seguido de Miranda (7) y Táchira (6).

Por el total de fallecidos solo han capturado a 11 personas como presuntos responsables de cinco muertes, según el Ministerio Público. Se trata de los asesinatos de Bassil DaCosta (23) Juan Montoya (51) Asdrúbal Rodríguez (24), Glidis Chacón (25) y Alexis Martínez (58). También están tras las rejas 17 funcionarios por presuntas violaciones a los derechos humanos de acuerdo con lo informado desde el Ministerio Público. Y como supuestos responsables de los asesinatos de los guardias nacionales no hay detenidos hasta ahora.

Protesta nocturna y asamblea en Nueva Esparta

El 26 de marzo de 2014 la periodista Sascha Moncada, de Últimas Noticias, reseñó:

-Marinellys Silva, estudiante y coordinadora regional de Vente Venezuela, dijo que se conformó una Junta Patriótica Estudiantil y Popular del Estado Nueva Esparta y se realizó una primera asamblea para definir las próximas acciones de calle y la agenda de la semana.

"En la asamblea de decidió que tenemos que seguir en la calle de manera pacífica, defendiendo nuestros derechos, ya tenemos actividades pautadas hasta el domingo", dijo Silva.

La periodista añadió:

-Un grupo de estudiantes denunció que, en plena protesta, un señor que se trasladaba en una unidad de trasporte público le escupió la cara a una de las estudiantes al momento de darle un volante; "ella le entregó el volante y este le escupió la cara, la muchacha se montó en el bus para hablar con el señor y el colector la agarró por el brazo, un grupo empezó a pegarle a la unidad y este arrancó, la golpearon y la dejaron en la prefectura de Los Robles", explicó un joven.

Protesta tomó la calle en Terrazas del Club Hípico

El miércoles 26 de marzo de 2014, el diario El Universal reportó:

-Caracas. - Una fuerte protesta se realiza desde las 5 de la madrugada en la redoma de la urbanización Terrazas del Club Hípico, en el Sureste de Caracas.

Solo está abierto un canal para permitir el paso de vehículos, por lo que la cola ya llega a la autopista Prados del Este.

La fuente explicó.

-Los vecinos tomaron la calle, con cacerolas, vuvuzelas y cornetas. Exigen que se acabe la represión, la liberación de los presos políticos, la restitución de los alcaldes Scarano y Ceballos También rechazan el allanamiento ayer en la mañana por parte del SEBIN de la casa de la actriz Natalia Streignard en la urbanización Prados del Este, donde se llevaron detenidos a sus padres y a su hermano. Gritan consignas y el ruido es ensordecedor.

El movimiento estudiantil ha encabezado las protestas contra el régimen

El 12 de marzo de 2014 el periodista Pedro Pablo Peñaloza, del diario El Universal, escribió:

-Más de 20 muertos. Centenares de lesionados y detenidos. Denuncias de torturas. Destrucción de instalaciones públicas y bienes privados. El dirigente de Voluntad Popular, Leopoldo López, preso en la cárcel militar de Ramo Verde. Despliegue militar en el Estado Táchira. Regreso de miles de personas a las calles para rechazar las políticas del Gobierno. Todo eso y más ha pasado desde el miércoles 12 de febrero hasta hoy.

Luego explicó que a un mes de las protestas contra el gobierno de Nicolás Maduro el país que ya padecía un difícil cuadro económico, marcado por la escasez, la inflación y la devaluación de la moneda, ahora también sufre el recrudecimiento de la polarización y la tensión política.

Al respecto, el politólogo Carlos Romero expresó que "El balance es muy negativo para el país", y observa una nación "semiparalizada en todos los órdenes".

Romero consideró además que este mes arroja un saldo negativo para el Ejecutivo, "que está rayado internacionalmente, luego de que había tratado de venderse como democrático y respetuoso de los derechos humanos".

A su juicio, la actuación oficial contra las protestas ha dejado en evidencia "la faz represiva" de la revolución chavista.

Venezuela inconstitucional

El 26 de marzo de 2014 la periodista Marianela Salazar escribió en el diario El Nacional:

-Maduro y Cabello decidieron darle el palo a la lámpara. Les resbala que los llamen dictadores, que la comunidad internacional se haya enterado de la verdadera naturaleza del régimen de fuerza militar que impera en Venezuela, donde el dúo perverso aplica el terrorismo de Estado. Precisamente, en los estados donde los ataques a los estudiantes y la sociedad civil han sido más violentos y espeluznantes, tienen gobernadores militares –Táchira y

Carabobo– o provienen de los brazos paramilitares que apoyan la revolución, como el gobernador tupamaro del estado Mérida.

Han ido demasiado lejos en su depravación de la justicia, no guardan siquiera las formas; metieron presos sin juicio previo ni derecho a la defensa a los alcaldes de San Cristóbal, Daniel Ceballos, y Enzo Scarano, de San Diego (Carabobo), en juicios exprés amañados, realizados por un envilecido Tribunal Supremo de Justicia que no respeta el Derecho.

Añadió la periodista:

-Al dirigente de Voluntad Popular, Leopoldo López, preso ilegalmente en Ramo Verde, también le han negado las pruebas a la defensa en el juicio. Es el fin de Venezuela como Estado constitucional. La autonomía universitaria es violada por contingentes militares que ametrallan con sus bombas lacrimógenas el recinto de la Universidad Central de Venezuela y por los colectivos armados, que no solo impidieron marchar a los estudiantes el pasado 13 de marzo, siguieron sembrando el terror posteriormente al desnudar y herir gravemente a un grupo de estudiantes de la Facultad de Arquitectura, que estaban reunidos en una asamblea.

El incendio planificado en la sede de la UNEFA, en San Cristóbal, para culpar a la oposición y denunciarla ante organismos internacionales es un burdo montaje, no podrán valerse del incendio para su propia ventaja, porque se trata de una universidad militar fuertemente custodiada en una ciudad que se encuentra militarizada.

Además de los asesinados con certeros disparos a la cabeza, hay heridos, desaparecidos, detenidos y torturados, casos muy bien documentados por el Foro Penal Venezolano que serán llevados a instancias internacionales, donde algún día se hará verdadera justicia.

Después se refirió al despojo inconstitucional de la curul de María Corina Machado por parte de la Asamblea Nacional, entonces presidida por Diosdado Cabello

-El linchamiento –explicó- contra la valiente diputada opositora María Corina Machado, el grosero despojo de su inmunidad parlamentaria, la prohibición de entrar en el hemiciclo de la Asamblea Nacional y la advertencia de que será detenida y enjuiciada por traición a la patria, entre otros cargos, no solo es un pase de factura por ir a la OEA a denunciar la violación de los derechos humanos en el país, es parte de un antiguo plan diseñado en La Habana para neutralizarla y silenciarla como líder. No tiene nada raro que al capitán Diosdado Cabello se le ocurra revocarle la nacionalidad venezolana por aceptar la representación de Panamá en la OEA.

A continuación, aseveró:

-El artículo 191 de la Constitución empleado contra María Corina también es aplicable al propio Cabello, que aceptó el ascenso a Capitán y se reincorporó como activo a la Fuerza Armada Nacional, o al diputado del PSUV Abdel el Zabayar, que el año pasado se sumó a las tropas sirias para defender el régimen del dictador Bashar al Assad y no perdió su cargo de diputado.

María Corina no debe entregarse como hizo Leopoldo López y quedar reducida a una celda, exponiéndose a sufrir los horrores que vivió la jueza María Lourdes Afiuni, ni distanciarse con un exilio. Debería analizarlo bien y pasar a la clandestinidad, para que desde allí organice la resistencia juntamente con el general Antonio Rivero y el dirigente Carlos Vecchio, que les hacen honor a los grandes líderes democráticos que desde la clandestinidad se enfrentaron con la dictadura perezjimenista.

Un herido en la UCV por represión policial

César Lira y Boris Saavedra, de El Nacional, reportaron el 12 de marzo de 2014

-Pasadas las 2:30 de la tarde, comenzó la represión contra los estudiantes que intentaban avanzar desde la UCV hasta la Defensoría del Pueblo para consignar un documento. Una persona resultó herida en los hechos por el impacto de una bomba lacrimógena en el rostro.

Después de la 1:30 de la tarde, los estudiantes fueron dispersados con un "ballenazo" y la Policía Nacional Bolivariana accionó gas pimienta a pocos centímetros de las caras de varios de los manifestantes, quienes habían formado una cadeneta.

Luego, comenzó una lluvia de piedras por parte de los manifestantes que fue respondida con un intenso bombardeo de gas lacrimógeno, en el que resultaron afectadas decenas de personas. Sin embargo, un grupo menor de manifestantes continuó al frente de la cadeneta.

El reporte continuó señalando:

-El ataque con lacrimógenas se repitió varias veces. Algunos estudiantes corrían a la plaza del Rectorado para huir de los gases. Equipo de primeros auxilios de la UCV, al igual que voluntarios y doctores del Hospital Clínico Universitario, atendieron a quienes presentaban problemas respiratorios,

El abogado Alfredo Romero, director del Foro Penal Venezolano, denunció a través de su cuenta en Twitter que el estudiante Alfredo Martín Osterman y dos más fueron detenidos en Plaza Venezuela a las 2:02 de la tarde de hoy.

A las 4:00 pm, los estudiantes alertaron que un grupo de motorizados, presuntamente miembros de colectivos, entraron al campus universitario, por lo que se replegaron hacia el Clínico. Los universitarios lograron formar una barricada con fuego cerca de las 4:30 pm en la misma salida de la UCV hacia Plaza Venezuela donde fueron atacados inicialmente.

Luego explicaron:

-La marcha convocada por diferentes federaciones estudiantiles del país este miércoles en Caracas no pudo avanzar hasta la Defensoría del Pueblo donde pretendían entregar un documento, en el que exigían la renuncia de la máxima dirigente de dicho organismo, Gabriela Ramírez.

La punta de la marcha estudiantil intentó avanzar por diferentes vías hacia el centro de la ciudad desde El Rosal y Bello Monte, pero los efectivos de la Guardia Nacional Bolivariana (GNB) y de la Policía Nacional Bolivariana (PNB) bloquearon las rutas de acceso a su meta.

La Guardia Nacional aplica Guerra Psicológica

El 12 de marzo de 2014 el periodista Javier Ignacio Mayorca, de El Nacional, reportó:

-Las arremetidas indiscriminadas contra vehículos y conjuntos residenciales por parte de unidades de orden público de la Guardia Nacional Bolivariana obedecen a una táctica de guerra psicológica, que intenta restar apoyo a los grupos de manifestantes.

Estas acciones, en las que han sido utilizadas tanquetas y gases lacrimógenos contra personas y vehículos aparentemente desvinculados de las manifestaciones, han sido reportadas en Chacao, Barquisimeto y San Cristóbal.

"Es una operación psicológica para que los que viven en el área no se les ocurra cooperar con los jóvenes que manifiestan", señaló el ex ministro de la Defensa, general de división retirado Raúl Salazar.

Por su parte, el general de división retirado Edgar Bolívar, exjefe de Operaciones de la GN, explicó que tales acciones tienen la finalidad de amedrentar a los opositores.

"Se despliega una fuerza más poderosa para disuadir a los que tienen menos poder, y evitar que actúen", dijo.

Al final de la nota Mayorca expresó:

-Los oficiales indicaron que la repetición de estas acciones indica un patrón de escalada conflictiva. Desde el punto de vista de los militares, se quiere mantener la protesta confinada a ciertos sectores. Evitar que se extienda a lugares considerados sensibles para el Gobierno, como el municipio Libertador.

Tiñen de rojo la fuente de la Plaza Francia de Altamira

El 1 de marzo de 2014 la página Web de El Nacional reportó:

-Este sábado las aguas de la fuente que adorna la plaza Francia de Altamira, en Caracas, amanecieron teñidas de rojo, en señal de protesta por los caídos en las manifestaciones en todo el país.

Esta es una de las protestas pacíficas que llevan a cabo estudiantes y sociedad civil, en general.

"No más muertes", escribió el presidente de la FCU de la Universidad Central de Venezuela, Juan Requesens.

Protestan con cadena humana en el Teleférico de Macuto

El 1 de marzo de 2014 la página Web de El Nacional reportó:

-Un grupo de manifestantes de la sociedad civil protestó este sábado en la avenida El Teleférico y en la plaza de Macuto, con pancartas alusivas a las personas que han muerto desde el 12-F.

"Estamos vivos, pero no vivimos" "#Noaldesabastecimiento" y "protesto porque quiero ver a mi país libre como cuando era pequeña", decían algunas de las pancartas de las personas que hicieron una cadena humana a lo largo de la vía del litoral de Vargas.

Sin embargo, "Efectivos de la GNB se apostaron en el lugar durante la concentración, que se hace por segundo día consecutivo y que según prometen los manifestantes, se mantendrá durante el carnaval".

El gobierno británico condenó la violencia

El 26 de marzo de 2014 el diario El Nacional, con información de EFE, reportó:

El Gobierno británico condenó hoy "todos los actos de violencia" ocurridos en Venezuela, pidió "diálogo" a las partes y reclamó que se respete "el derecho a la libre expresión y a manifestarse de forma pacífica" en ese país.

Hugo Swire, viceministro de Exteriores del Reino Unido, emitió hoy un comunicado ante la persistencia de las protestas violentas en Venezuela, en el que se manifiesta "profundamente preocupado" por la situación y reclama a "todas las partes que tomen medidas para evitar la confrontación".

El funcionario añadió:

Con protestas en Venezuela desde febrero, estoy profundamente preocupado por la situación en el país. Estoy triste por las muertes que han sucedido y condeno todos los actos de violencia", indicó.

Es importante que se respete el derecho a la libre expresión y a manifestarse de forma pacífica, y que a los que están siendo investigados se les garantice el debido proceso legal

Cadáveres ficticios en Estaciones del Metro de Caracas

El 11 de marzo de 2014 el diario El Nacional reportó:

-Las protestas siguen en el país y este martes estaciones del Metro de Caracas amanecieron con cadáveres simulados con bolsas negras y una cruz blanca encima, en representación de los altos índices de inseguridad que se reflejan en todo el territorio nacional.

Y agregó:

-A primeras horas usuarios del transporte público reportaron por Twitter de la protesta, quienes analizaron los cadáveres como un recordatorio de los estudiantes caídos en las protestas que se llevan a cabo contra el gobierno de Nicolás Maduro.

Heridos y asfixiados

Definitivamente, la narcodictadura de Nicolás Maduro odia a los jóvenes que en el uso del derecho constitucional a la manifestación salen pacíficamente a las calles para poner de manifiesto su rechazo al régimen, que lanza contra ellos los cuerpos de represión y colectivos con el objeto de neutralizarlos a sangre y fuego.

El 12 de marzo de 2014, justo a un mes de que la juventud inició las protestas contra la narcodictadura que tiene secuestrado su desino, el diario El Nacional reportó:

-La emergencia del Hospital Universitario de Caracas recibió a 16 pacientes de emergencia, la mayoría con asfixia y dos con heridas producto de impacto de bombas lacrimógenas hechas directamente sobre el cuerpo de los jóvenes, informó Ricardo Strauss, residente de Medicina Interna en el centro de salud.

Uno de los heridos, un hombre de 22 años llegó con tres lesiones producto de impactos cercanos de bombas lacrimógenas sobre el tórax, boca y pecho. Lo están atendiendo médicos de cardiología y cirugía del tórax para evaluar el daño que tiene, dijo Strauss.

El reporte añadió:

-Otro joven recibió el impacto de una bomba lacrimógena en el rostro y están siendo atendidos en la unidad de otorrinolaringología.

Strauss informó que la emergencia permanece abierta y el resto de los accesos fueron cerrados por seguridad mientras ocurría la refriega en la entrada de la UCV. Señaló que no hubo bombas lacrimógenas cerca del centro de salud y los jóvenes asfixiados ya fueron dados de alta.

La pesadilla de un periodista colombiano durante las protestas en Venezuela

El 27 de febrero de 2014 el diario El Nacional, con información de El Tiempo, de Bogotá y GDA, reportó:

-El pasado sábado 14 de febrero en la noche, el periodista Juan Pablo Bieri, junto con su compañero, vivieron momentos de pánico en medio de enfrentamientos de manifestantes con miembros de la Guardia Nacional: "Nosotros viajamos el jueves 12 a cubrir las protestas y el orden público en Caracas y la situación estaba bien caliente. El sábado había una marcha del gobierno, la cubrimos y en las horas de la noche terminaron enfrentándose manifestantes con miembros de la Guardia Nacional. Quedamos metidos en medio de los dos bandos. La Guardia Nacional se acercó a nosotros y sin importarles que les decíamos que éramos prensa y que teníamos nuestros equipos, nos pegaron, insultaron y nos sometieron.

- ¿Qué sucedió cuando los retuvieron?

-La palabra mágica era decir: ¡Prensa, somos prensa internacional, por favor no nos golpeen! Les gritábamos que no nos confundieran en medio de los golpes. No alcanzamos a decir nada más, porque nos cogieron como a dos ladrones y luego nos metieron a patadas en la tanqueta.

- ¿Qué pensó en ese momento?

-Cuando estábamos mirando hacia el piso y con las manos entrelazadas arriba sin poder hablar, pensé en mis hijos y en mi esposa; le pedí mucho a Dios, le pedí mucho a mi viejo, que se fue de este mundo hace cuatro meses, que me ayudaran.

- ¿Pensó que lo iban a matar?

-No sé si a matar, pero la situación era muy tensa. Al lado nuestro había más detenidos, a ellos les pegaban muy fuerte delante de nosotros. Eran estudiantes venezolanos. Pensaba que, si esto se lo hacían a ellos, quién sabe qué podían hacernos a nosotros si creían que yo era un infiltrado o un espía.

- ¿Qué hicieron cuando golpeaban a estos jóvenes?

- Nos quedamos callados. Uno ahí no puede hacer nada, pero me dolió mucho. Había un joven que no estaba metido en la protesta, caminaba por ahí; le hicieron quitar los zapatos, le pegaron en la planta de los pies, lo maltrataron verbalmente todo el tiempo, lo sometieron completamente. Fue muy impactante porque sientes que te lo van a hacer a ti en cualquier momento. Si uno levantaba la cabeza, se exponía a que le pegaran un cachetadón.

- ¿Cuánto tiempo duraron en la tanqueta?

- Fue una hora y media, la más macabra que he vivido, bajo intimidación como en la dictadura militar de Pinochet; una cosa como La noche de los lápices (en Argentina). Le decía a mi compañero que se tranquilizara, que íbamos a salir de ahí, porque él es mucho más joven. Lo que pasó fue muy grave porque sencillamente los periodistas están siendo amenazados por la

Guardia Nacional y cualquier disculpa les sirve a ellos para decir que hacían parte de la protesta.

- ¿Les quitaron los equipos?

- Sí, pero luego los devolvieron. Nos quitaron los celulares, les sacaron fotocopia a mis dos pasaportes (uno colombiano y el otro suizo). Irónicamente el comandante del operativo me dijo: "Juan Pablo, ya lo tenemos identificado y por cualquier cosa lo podemos ubicar en Bogotá".

- ¿En tono amenazante?

- Sí, todo el tiempo fue un tono de amenaza y de intimidación.

- ¿Cómo lograron que los liberaran?

- ¡Fue un milagro! Nadie sabía que nosotros estábamos dentro de la tanqueta, solo cuando se abrió la puerta para meter a más detenidos mi compañero alcanzó a ver a un periodista de Globo Visión que pasaba por ahí y le hicimos señas. Él se acercó y por medio de una hendija lo saludamos, entonces él le dijo al conductor de la tanqueta que éramos periodistas. Ahí me tranquilicé porque ya había alguien que nos había visto. Luego apareció el coronel que maneja el operativo, nos sacó de la tanqueta. Nos robaron los celulares y nos sacaron plata colombiana en efectivo, pero eso era lo menos preocupante; era la base de datos en el celular, las fuentes y hasta fuentes de la oposición. El coronel nos sacó de ahí y nos ofreció excusas y dijo que si hubo un exceso de fuerza, que los perdonáramos. Hice un paso en cámara donde digo que esta fue la tanqueta donde nos retuvieron, y nos fuimos. Aún seguían los gases lacrimógenos, las piedras...

- ¿Con quién se comunicó?

- Con mi esposa (Isis Durán) teníamos unos protocolos de comunicación. Habían pasado diez horas sin que me hubiera comunicado, ella empezó a tuitear que no tenía comunicación conmigo, y cuando pasaron cuatro horas más, ella se comunicó con Álvaro García, el director, y con otros periodistas. Cuando llegué al hotel, como a la 1:30 am, logré hablar con ella y le conté lo que había pasado; ella fue muy valiente, me tranquilizó.

- ¿Cómo fue esa noche en libertad?

-Me quedé con mi compañero, para no separarnos. Esa noche no pudimos dormir. Al otro día tuve comunicación con el noticiero, fuimos a la embajada, donde quedó claro que no estaba garantizada nuestra seguridad; nos fuimos en el carro de la embajada al aeropuerto, nos regresamos para Bogotá

Achacan protestas y guarimbas de Carabobo a Alcaldes opositores

El 9 de marzo de 2014 Gustavo Rodríguez, del diario Últimas Noticias, reportó:

-Valencia. A través de diferentes instancias judiciales los alcaldes carabobeños de los municipios Valencia, San Diego y Naguanagua, Miguel Cocchiola, Enzo Scarano y Alejandro Feo La Cruz respectivamente, han sido instados a terminar con las barricadas y recoger los escombros que obstruyen las principales vías de comunicación.

La insistencia de los tribunales penales a petición del Ministerio Público pretende devolver el orden y culminar con las constantes protestas que, por motivos disímiles, mantienen colapsadas desde hace casi un mes las diferentes calles, avenidas y entradas a las urbanizaciones.

Rodríguez agregó:

-Los alcaldes Miguel Cocchiola y Alejandro Feo La Cruz al igual que a Enzo Scarano, del municipio San Diego, han sido instados por tribunales penales a poner control en las zonas de protesta.

El alcalde Miguel Cocchiola ha insistido en la necesidad de retirar las barricadas, pero cada vez que las cuadrillas retiran una barricada, minutos después se encuentran con otra más fuerte y consolidada. Los vecinos buscan cualquier cantidad de desperdicios para lanzarlos en la calle.

Al final de la nota el periodista explicó:

-Desde hace más de 20 días en diferentes municipios carabobeños se han registrado manifestaciones, barricadas y trancas para exigir la renuncia del presidente Nicolás Maduro. Los cacerolazos son también cotidianos.

Maduro defendió a los Tupamaros

El 8 de marzo de 2014 el diario Últimas Noticias informó que Nicolás Maduró fustigó a la Mesa de la Unidad Democrática, pidiéndole "dejar tranquilos" a los integrantes de los colectivos pro-gobierno, Tupamaros, porque a su juicio están trabajando y haciendo política y participando y tienen diputados, concejales y alcaldes y son gente de trabajo y de paz.

-Ya basta –dijo en Miranda- la agresión contra este movimiento político. Dejen la locura.

Sin embargo, "Los representantes opositores han acusado en varias oportunidades al grupo de ser pandillas armadas; y los han señalado de estar vinculados a los hechos de violencia desatados durante las protestas".

Igualmente, "Vecinos de zonas de conflicto en el este de Caracas, han denunciado que estos grupos presuntamente estarían llegando a las inmediaciones de edificios y avenidas principales, para disparar y amedrentar a quienes protestan.

La debacle del inepto heredero

El domingo 9 de marzo de 2014 la periodista Marta Colomina escribió en el diario El Universal:

- ¿Qué diría Chávez si pudiera ver las torpezas con las que su "heredero" ha aniquilado el "legado" político que le dejó al morir? En estos días se ha intensificado el rechazo mundial a la feroz represión emprendida por Maduro contra las multitudinarias y pacíficas protestas estudiantiles. Analistas políticos internos y externos pronto percibieron que Maduro no era Chávez y ahora, ante el horror que ha puesto a Venezuela en el ojo del huracán, los mismos analistas subrayan que Maduro no solo no es Chávez (por mucho que repita su parentesco "filial" y que "todos somos Chávez") sino que ha devenido en una especie de "anti-Chávez" destructor del capital político del líder fallecido.

Y agregó:

- ¿Cómo el mundo no va a definir de dictatoriales los salvajes ataques de los politizados cuerpos de seguridad del Estado y de los delincuentes paramilitares armados y financiados por el gobierno, contra las protestas estudiantiles que hasta el jueves registraban un terrible saldo de 18 muertes, 1.084 detenciones, más de 260 heridos y 33 torturados? ¿Qué "democracia" envía 7 tanquetas de guerra a Chacao, con un contingente de militares superior al número de manifestantes, e inicia un brutal ataque, intromisión ilegal en edificios (sin orden judicial), lacrimógenas vencidas y choques destructores de las tanquetas contra vehículos estacionados? Saña similar aplicó la GN contra viviendas y vecinos en Montaña Alta, disparando y lanzando lacrimógenas durante más de 13 horas y apuntando sus armas contra la policía municipal de Carrizal cuando auxiliaban a heridos y asfixiados. Estas escenas ocurren en todo el país. Un líder opositor de Avanzada Progresista en Barquisimeto fue asesinado por colectivos (según denuncian sus compañeros). La población de Táriba fue acosada durante largas horas por los impunes paramilitares rojos, rompiendo vehículos, violando viviendas y robando pertenencias. Las torturas, persecuciones y muertes están siendo documentadas por ONG nacionales e internacionales, para desmentir las versiones oficiales. Hay torturas colectivas que deberán ser sancionadas a corto plazo: el acoso al valiente pueblo del Táchira, sometido a vuelos rasantes de aviones Sukoy, helicópteros artillados y un estado de sitio sin acceso a alimentos, medicinas y muy escasa agua, bajo la complaciente indiferencia del gobernador, no puede ocurrir en vano.

El costo de la protesta popular

El 9 de marzo de 2014, en El Nacional, Franz Von Bergen y Laura Helena Castillo escribieron:

"Si protestan, los matamos". Esa fue la advertencia que le hicieron los colectivos de la urbanización Simón Rodríguez a un vecino, luego de que él y un grupo montaran por tercera vez una barricada de protesta entre los bloques 9 y 10 de la conocida zona popular de la parroquia El Recreo (municipio Libertador). Lo hicieron poco después del 12 de febrero, cuando comenzaron en Caracas las manifestaciones, en las cuales se han registrado 22 fallecidos, 1.200 detenidos y más de 30 denuncias de tortura.

Lo hacemos a las ocho de la noche, después de que los colectivos se empiezan a recoger. Montamos la guarimba y nos escondemos en la planta baja de un edificio. Dos se ponen en cada esquina para cantar la zona. Si pasan los motorizados y las quitan, esperamos que se vayan y con linternas nos hacemos señales para salir y volverlas a montar", cuenta Wendy Liendo, una de las promotoras de la idea.

Los periodistas explicaron:

-En la urbanización operan cinco colectivos integrados por entre 12 y 15 motorizados. La amenaza a uno de los vecinos de Liendo llegó la semana pasada, un día después de montar una barricada. Se acercaron a él en la calle y le dieron el mensaje.

Y agregaron:

-La protesta política tiene un costo alto en los sectores populares. Si bien la protesta social atraviesa todos los sectores con el reclamo de abastecimiento, salud, trabajo y seguridad el informe de Conflictividad Social de 2013 revela que 40% de estas estuvieron relacionadas con derechos laborales-, cuando la consigna se decanta en mensajes de rechazo hacia el gobierno la respuesta de los órganos de seguridad y de los movimientos sociales colectivos, UBCH (Unidades de Batalla Chávez) es rotunda y está dirigida: coacción, amedrentamiento, agresión. Los líderes más visibles del gobierno, Nicolás Maduro y Diosdado Cabello, les han pedido que salgan a defender la patria.

Acotaron luego:

-En Catia, el miércoles amanecieron pintadas las paredes de por lo menos dos casas de la urbanización Urdaneta. "Aquí viven los enemigos del gobierno", "Guarimberos", señalaban las pintas hechas en viviendas de familias opositoras. Quedaron marcados.

Cuando se da una protesta en esa parroquia, Saverio Vivas vecino de allí y coordinador general adjunto de Primero Justicia en el lugar advierte que se repite un proceso: "Te interrogan cuando los colectivos llegan al sitio.

Preguntan qué estás haciendo y luego intimidan con amenazas. Si sigues en el lugar, te insultan y después llegan a la agresión física. Si te defiendes, pueden venir con pistolas a agredirte más".

La situación no es nueva. En la campaña electoral del 14 de abril, un grupo de seis mujeres fue amedrentado al reunirse para apoyar al opositor Henrique Capriles. "Estaban esperando al candidato en el punto acordado. Como los colectivos bloquearon toda la zona y él no pudo llegar, las señoras quedaron solas en el sector los Frailes. Las atacaron con palos y la Policía Nacional tuvo que intervenir para resguardarlas", relata el dirigente de Primero Justicia.

Indicaron en otro fragmento:

-En Catia los colectivos se dividen en cuatro grandes grupos, explica un dirigente local que mantuvo su nombre en reserva. Uno está constituido por miembros del sindicato de la construcción; otro trabaja con el partido Redes; otro lo relacionan con el ex alcalde de Libertador y diputado Freddy Bernal, y el último es muy cercano a... Nicolás Maduro y su esposa, Cilia Flores.

La situación en Venezuela es alarmante

El 8 de marzo de 2014, el entonces vicepresidente de Estados Unidos, Joseph Biden, declaró respecto a Venezuela durante su visita a Chile "que enfrentar a manifestantes pacíficos con la fuerza, demonizar a los opositores y restringir la libertad de prensa, no está a la altura de los estándares de democracia que hay en la mayor parte del continente".

Así lo reportó Carolina Álvarez Peñafiel, del diario El Mercurio, indicando que Biden afirmó también:

-La situación en Venezuela es alarmante, el gobierno venezolano tiene una responsabilidad básica de respetar los derechos universales, que incluyen las libertades de expresión y de asamblea; proteger al pueblo de la violencia y comprometerse en un diálogo genuino en un país profundamente dividido. Hay un mejor camino y el pueblo de Venezuela espera que el gobierno lo tome. Enfrentar a manifestantes pacíficos con la fuerza y en algunos casos con milicias armadas, limitando la libertad de prensa y de asamblea —necesarias para el debate político legítimo—, demonizar y arrestar a los opositores y reforzar dramáticamente las restricciones para los medios no es lo que esperamos de democracias que son signatarias de la Declaración de los Derechos Humanos y de la Carta Interamericana, y ciertamente no está a la altura de los sólidos estándares de democracia que tenemos en la mayor parte de nuestro hemisferio. La OEA y sus miembros tienen un importante rol para reforzar las instituciones democráticas y para ayudar a resolver crisis políticas como la de Venezuela. Hemos visto llamados de la OEA y de países en la región para respaldar un diálogo real en Venezuela y llamados para que todos los actores eviten la violencia y la intimidación. La situación en Venezuela me recuerda a épocas pasadas, cuando hombres fuertes gobernaban usando la violencia y la opresión; y los derechos humanos, la hiperinflación, la escasez y la extrema pobreza causaban estragos en los pueblos del hemisferio. Esos días ya casi no existen gracias a la valentía de muchos hombres y mujeres en las Américas, quienes sufrieron personalmente en nombre de la democracia.

Continúan ataques de la Guardia Nacional a Residencias

El 21 de febrero de 2014 el equipo de corresponsales de El Nacional reportó:

Pese a los intentos de funcionarios de la GNB de dispersar las concentraciones de estudiantes y vecinos en Carabobo, Bolívar, Lara, Mérida y Anzoátegui, las manifestaciones se mantienen, lo que ha ocasionado nuevas agresiones desde la madrugada.

En Mérida una tanqueta de la GNB derribó una de las barricadas que mantienen las protestas estudiantiles en la avenida Las Américas. Desde la noche se han presentado frecuentes incursiones de los militares junto con grupos de motorizados en la avenida Las Américas, el sector Los Sauzales y algunos otros. En todos los casos se reportan disparos contra edificios.

El reporte puntualizó:

-José Torres, de 45 años, fue llevado a la fuerza por uno de los motorizados mientras manifestaba en el sector Los Campitos. Presentó golpes y heridas al lanzarse de la moto para liberarse de los captores.

Grupos de motorizados identificados con el oficialismo saquearon la oficina de Digitel que se encuentra en el centro comercial Plaza Mayor.

José Guerrero, comandante de los Bomberos ULA, denunció que la unidad de rescate número 3 y sus funcionarios fueron agredidos por estos grupos. Les dañaron los dos vidrios laterales cuando se encontraban cerca del IVSS.

Luego señaló:

-En Barquisimeto 53 personas han sido detenidas por la GNB y el Ejército en las distintas manifestaciones de calle en Cabudare y Barquisimeto. Manuel Virgüez, del Foro penal, informó que todos los detenidos están en instalaciones militares. Durante las manifestaciones en Cabudare dos jóvenes resultaron heridos de bala. Uno de ellos recibió un disparo en la pierna derecha, mientras que el otro fue herido en la cabeza. Tanquetas reprimieron en Cabudare y el sector Río Lama de Barquisimeto. Vecinos reportaron que grupos de motorizados rondaron la ciudad generando temor en la colectividad.

Las protestas del miércoles y jueves en la madrugada en el Estado Anzoátegui causaron 7 heridos y 43 detenidos. 13 de los detenidos son menores de edad.

Familiares denunciaron que les quitaron sus pertenencias y los aislaron.

En Valencia vecinos reportaron un ataque con gases en San Diego por parte de la Guardia Nacional Bolivariana. Una estudiante resultó herida en la zona de Tazajal, Naguanagua.

La joven se encuentra a la espera de una operación debido a un perdigonazo que recibió en el rostro y que podría comprometerle la visión, indicó la madre.

En cuanto al Estado Bolívar, 21 personas fueron detenidas en la incursión de grupos oficialistas y de la Guardia Nacional Bolivariana en distintas zonas de Altavista, donde los funcionarios destruyeron los puntos de concentración de las manifestaciones estudiantiles en los últimos días.

Vecinos señalan que los grupos de motorizados y militares atacaban con gases y disparaban armas largas y cortas contra los edificios. Carlos Zambrano, habitante de las residencias La Churuata, contó que la GNB lanzó bombas dentro del conjunto residencial.

El incidente se repitió a las 4:00 pm cuando vecinos comenzaron a reportar un ataque de la GNB con bombas lacrimógenas. Los residentes los rechazaban tocando cacerolas. 20 funcionarios lograron ingresar. Vecinos reportan que, además de los asfixiados con gases, hubo seis heridos por perdigones.

Heridos en Altamira

El 9 de marzo de 2014, según reseñó Diario La Hora, de Porlamar, Estado Nueva Esparta, dos heridos por contusiones y laceraciones atendió este sábado en la noche Salud Chacao, debido a la protesta en el sector Altamira, la cual fue dispersada por funcionarios de la Policía Nacional Bolivariana.

Por otro lado, en su cuenta en Twitter el alcalde Ramón Muchacho agregó que 3 pacientes presentaron disnea por gases.

Siguen las protestas en el País

De El Diario de Caracas es la nota que sigue, publicada el viernes 21 de febrero de 2014: -Los venezolanos continuaron este viernes en las calles de todo el país en protestas contra el Gobierno de Nicolás Maduro que tras nueve días dejan un balance oficial de ocho muertos y más de un centenar de heridos, mientras la defensa del líder opositor Leopoldo López anunció que pedirá su liberación. En la antesala de las marchas convocadas por la oposición y el chavismo para el sábado, algunas zonas de Caracas y las principales ciudades del país siguieron siendo epicentro de nuevas concentraciones que incluían barricadas, quema de basura y consignas pidiendo la salida de Maduro.

La fiscal general, Luisa Ortega, informó que el número de heridos asciende a 137 y que ocho personas han muerto en hechos relacionados con las protestas que vive el país desde el pasado 12 de febrero: cuatro en Caracas, dos en el estado Carabobo (centro), una en Sucre (oriente) y una en Lara (centro-occidente).

Al hacer un recuento de los daños, la fiscal sostuvo que se han producido ataques a estaciones de metro, comercios y sedes bancarias, así como a vehículos de policía y a las casas de los gobernadores de los estados Táchira (oeste) y Aragua (centro).

Táchira, fronterizo con Colombia, es escenario de violentos enfrentamientos, lo que llevó a Maduro a decir que estaba dispuesto a declarar el "estado de excepción" en esta zona del país.

El ministro de Interior, Miguel Rodríguez, afirmó este viernes que Táchira se encuentra en calma y que militares recogieron 180 toneladas de escombros metálicos.

> *Cabe destacar que Luisa Ortega Díaz fue destituida por la írrita Asamblea Nacional Constituyente y se encuentra en el exterior, el entonces ministro Miguel Rodríguez es prisionero del narcodictador y la entonces sumisa defensora del pueblo, Gabriela Ramírez, cumple exilio en España*

En cuanto a Nicolás Maduro, éste afirmó "que en Venezuela no se tortura ni se vulneran los derechos humanos como han denunciado miembros de la oposición y aseguró que está investigando unos vídeos que han corrido por internet con supuestas vulneraciones de los derechos.

-Las ordenes que hemos dado, -agregó- las únicas que podríamos dar, de acuerdo con lo que es nuestra ética humana, es aplicar la ley y respetar a los ciudadanos, hay demostraciones públicas, de respeto a eso, muchas", manifestó al asegurar que hace una semana que espera que el líder opositor

Henrique Capriles le mande información de un caso de esas violaciones.

Respecto a la defensora del pueblo, Gabriela Ramírez, ésta afirmó que "La oposición ha denunciado que se han reprimido con violencia las protestas, aunque la defensora del pueblo no ha recibido denuncias de violaciones a los derechos humanos".

Ramírez agregó:

-A lo mejor muchas personas aspiran o esperan que yo me haga eco de denuncias que no han sido comprobadas (...) todos tenemos que ser muy cuidadosos".

21 muertes en protestas contra Maduro

El domingo 9 de marzo de 2014 la entonces defensora del pueblo, Gabriela Ramírez informó que la institución que encabezaba ha contabilizado 21 fallecidos en hechos de violencia ligados a protestas que desde el 12 de febrero pasado se registran en el país contra el presidente Nicolás Maduro.

Así lo reportó El Diario de Caracas al hacerse eco de la rueda de prensa de Ramírez en la que aseguró que, según un "informe preliminar" de su despacho, diez de las víctimas fatales cayeron tiroteadas en las "guarimbas" (barricadas) levantadas en calles, modalidad de protesta rechazada por el Gobierno y la mayoría de los partidos opositores a Maduro.

El G2 da instrucciones para que el gobierno reprima a Estudiantes

El martes 25 de febrero de 2014 Manuel Malaver, de El Diario de Caracas, afirmó:

-No se necesita disponer de mucha inteligencia y seguridad para percibir que la represión con la que el gobierno de Maduro trata de atajar la ola de protestas que amenaza con arrollarlo del poder, tiene el sello del G-2 cubano. Se descubre, básicamente, en la forma como ha prescindido del diálogo en la solución de una crisis que, bien manejada, pudo no significar grandes pérdidas para la administración, y pocas ganancias para una oposición que no tenía al comienzo ningún control de los manifestantes, y, para colmo, estaba dividida.

Aviones de guerra intimidan al Táchira

Santiago Alcalá, del semanario La Razón, del 23 de febrero al 2 de marzo de 2014, afirmó que "Con el sobrevuelo de aviones de guerra, contra la población civil de San Cristóbal, Maduro ha ingresado a la galería de desgobernantes canallas"

La fuente explicó igualmente:

-El sobrevuelo de aviones de guerra ordenado por Nicolás Maduró (colombiano hasta que demuestre lo contrario y mameluco cubano sin prueba en contrario) sobre San Cristóbal es, sin lugar a duda, la acción más criminal, torpe, brutal, indecente, jamás ordenada por gobernante alguno contra una región específica de nuestro país.

En mala hora, nos hemos acostumbrado, a la represión presupuestaría alevosa que Chávez, antes y ahora, Maduro —colombiano basta que pruebe lo contrario- han emprendido contra estados y municipalidades que han sufragado contra el oficialismo.

En Caracas, los matones de la "Esquina Caliente" y de los "Círculos Bolivarianos" — hoy con el remoquete de "Colectivos"- atacaron bienes y servicios de la capital. Todo porque eligieron en 2008 a Ledezma para alcalde metropolitano. Carabobo, Zulia. Táchira, Nueva Esparta y el propio, Miranda, durante los mandatos regionales de Salas Feo, Rosales y Pablo Pérez, Pérez Vivas, Morel Rodríguez y el mismo Capriles Radonski, sufrieron acosos similares. Pero hasta ahora no se habían atrevido a tanto.

- ¿con qué arsenal iban a bombardear las Sokhoi rusos a los tachirenses, niños cuando pasaran rasantes sobre San Cristóbal? -Con terror o con bacinillas de caca o de orina que portaran los pilotos de nuestras heroicas FFAA?

Desde San Cristóbal nos reportan, niños que sufrieron desórdenes nerviosos, ataques de asma y problemas para conciliar el sueño. Una nueva página para el voluminoso infolio de crímenes perpetrados por la supuesta Revolución y sus supuestos revolucionarios.

El asesinato y la tortura como políticas de Estado

El semanario La Razón, en la edición del 23 de febrero al 2 de marzo de 2014, reprodujo el siguiente texto publicado por su autor José Rafael López Padrino en soberanía.org: -Los venezolanos han sufrido en los últimos días una de las peores razas represivas de su historia a manos de la nefasta Guardia Nacional, el Servicio Bolivariano de Inteligencia Nacional (SEBIN) y las bandas armadas al servicio del régimen. La represión contra la protesta social ya suma 10 personas asesinadas, más de 250 personas sometidas a régimen de presentación de las 3.000 que ya existían y cerca de 55 manifestantes encarcelados.

El texto explicó:

-Aplicando la Doctrina de la Seguridad Nacional y la dicotomía "amigo-enemigo", el gorilato bolivariano y su títere Maduro han institucionalizado un nefasto terrorismo de Estado y una miserable violencia política. Terrorismo de Estado que adopta el sigilo, el asesinato, el ataque por sorpresa, las prácticas delictivas, el uso de grupo paramilitares, la tortura e inclusive la violación (caso Juan Carrasco) a fin de restablecer "la paz ciudadana".

Terrorismo que no solo elimina al enemigo político, sino además convence al ciudadano común que su vida está supeditada a su incondicionalidad frente al régimen. Ello acompañado de una desarticulación conceptual del idioma y vaciamiento de contenido a fin de confundir a las masas populares. Por ejemplo, el régimen habla de paz y amor, pero militariza, reprime y asesina a jóvenes. Hablan de colectivos de paz y amor, pero son los mismos grupos de maleantes que siembran el terror y la muerte en nuestras ciudades.

Asimismo, señaló:

-Además, recurren a un lenguaje falso para eludir la responsabilidad de nominar lo ignominioso. Se metaforiza el horror para volverlo discursivamente aceptable. Maduro y su pandilla de matones jamás emplean expresiones directas como 'matar', o 'liquidar' al disidente, sino que recurren a un neolenguaje banalizado a fin de encubrir la represión y el asesinato de quienes disienten y protestan su política.

Mediante la construcción de un lenguaje comunicacional "aséptico", y de un discurso descalificador de sus víctimas, el régimen pretende que la violencia orientada a exterminar a la disidencia sea percibida como algo saludable para el país y no como un vulgar sicariato político. Valdría la pena recordar al nazi Adolf Eichmann durante su juicio en Jerusalén quien llegó afirmar: "Cien muertos es una tragedia, cien mil es estadística y nada más". Al igual que Eichmann los fachochavistas apelan a un discurso naturalizado del asesinato, de la muerte, a fin de enmascarar su agenda violenta como paradigma de su "bastarda revolución".

Pero además el régimen pretende que no se visualicen los abusos, las violaciones y los asesinatos perpetrados por sus asesinos uniformados (Guardia Nacional, Policía Nacional) y no uniformados (colectivos hamponiles) en el país y fuera de nuestras fronteras. Por ello imponen un blackout informativo, sacan del aire a canales de TV y expulsa del territorio nacional periodistas extranjeros. Pero lo que aún es peor es que estos asesinos a sueldo son presentados como ciudadanos respetuosos de las leyes dispuestos a cualquier sacrificio a "favor de la paz de la República".

Después se lee:

-La llegada al poder del Social fascismo Bolivariano ha permitido una reposición de la obra de George Orwell, "1984". El lenguaje lo recrearon, se lo apropiaron, lo "nazificaron", y lo esparcieron a todos los confines de la sociedad "a punta de bayonetas y balas". Los venezolanos vivimos vigilados todo el tiempo, bajo un férreo control ideológico, una hegemonía comunicacional, y una represión dirigida a fin de lograr el sometimiento de la población.

La ideología fachochavista representa un proyecto reaccionario, resultante de una combinación de una retórica socialista con un accionar fascista. Esta explosiva combinación ha dado origen a la barbarie, a la bazofia que hoy "desgobierna" al país. Un proyecto que aliena, que genera una falsa conciencia revolucionaria, que desdramatiza los asesinatos y crea una atmósfera de "normalidad" alrededor de los perpetradores de ellos, y que pretende rescribir la historia desde la impunidad, desde la censura de la memoria, desde la deformación de la realidad y del olvido.

Como en el pasado, ahora también se violan los derechos humanos y se encarcelan a quienes ejercen el derecho de la protesta en nombre de un grotesco y falsificado socialismo.

Brasil vende casi todas las bombas lacrimógenas

Entre 2008 y 2011 la dictadura del teniente coronel (retirado) Hugo Chávez compró al gobierno de Brasil 143 toneladas de municiones antimotines.

Así lo señalaron Lisseth Boon y Cristina González en un reportaje sobre la materia publicado en Últimas Noticias el 23 de marzo de 2014.

-El cilindro de aluminio vacío –explicaron- lleva el nombre "Condor Tecnologías no letales". Tiene rotulado en azul que es modelo GL-203/L con carga múltiple lacrimógena. Indica también que fue "hecho en Brasil" en febrero de 2008 y claramente su fecha de vencimiento: febrero de 2013.

-Cartuchos de Condor como el descrito se encontraron en ciudades de Brasil, Chile, Turquía y Bahréin, donde estallaron grandes manifestaciones públicas en los últimos tres años, reportan activistas de esos países y la prensa internacional. Y en las calles de Venezuela, quedaron como evidencia de la actuación de los cuerpos de seguridad durante las protestas de las últimas seis semanas.

Las periodistas añadieron:

-Luego de la marcha estudiantil del 12 de marzo, que terminó en disturbios reprimidos durante unas tres horas por la Policía Nacional Bolivariana y la Guardia Nacional Bolivariana, estudiantes, empleados, obreros y profesores de la Universidad Central de Venezuela recolectaron 2.310 restos de bombas lacrimógenas, según un informe técnico de la UCV. De esa cantidad, 60% (1.386) corresponden a cápsulas fabricadas por la empresa brasileña Condor. El otro 40% es de bombas armadas por la Compañía Venezolana de Industrias Militares (CAVIM) en asociación con la española Falken y por firmas de EE. UU.

Condor Non Lethal Technologies (Condor Tecnologias Não-Letais) es la empresa brasileña líder en el mercado de productos para la seguridad y control de disturbios del hemisferio sur. Creada en 1985, es una de las principales fabricantes y exportadoras del sector defensa de Brasil.

Después aseveraron:

-Venezuela es uno de los 40 clientes de Condor, al cual la compañía brasilera vendió 6,5 millones de dólares en bombas y granadas lacrimógenas y perdigones entre 2008 y 2011 según cifras del Ministerio de Desarrollo, Industria y Comercio Exterior de Brasil (MDIC), que se traducen en 143 toneladas en mercancía. Esas compras no se reflejan en los presupuestos de los ministerios de Defensa ni de Interiores y Justicia de 2008 a 2011, ni pasaron por licitación.

Señalaron también:

-En una década entraron al país desde el gigante del sur 333 toneladas de municiones antidisturbios y para armas (identificadas con el código arancelario internacional 9306), de acuerdo con el instituto brasileño, lo cual equivale a llenar 100 contenedores de 12 metros (hasta 32 mil kilos de capacidad) con cartuchos de perdigones y lacrimógenas. Del total de $9,9 millones invertidos en una década en municiones brasileñas, 65% corresponden a material antidisturbios de Condor, según MDIC.

Sobre estas adquisiciones, la Constitución establece en su artículo 55 que el uso de armas o sustancias tóxicas por parte del funcionario policial y de seguridad estará limitado por principios de necesidad, conveniencia, oportunidad y proporcionalidad, mientras que el artículo 68 lo prohíbe en el control de manifestaciones pacíficas. En el país solo hay un instrumento que reglamenta el empleo de estas sustancias: el Manual de Uso Progresivo y Diferenciado de la Fuerza Policial, publicado por el Consejo General de Policía (CONGEPOL)

Este artículo fue desactivado arbitrariamente de la Constitución por El Chafarote de Sabaneta, Hugo Chávez, cuando ordenó a sus fuerzas represivas que echaran gas del bueno a los manifestantes que en las calles de de las principales ciudades del país protestaban contra sus abusos y crueldades

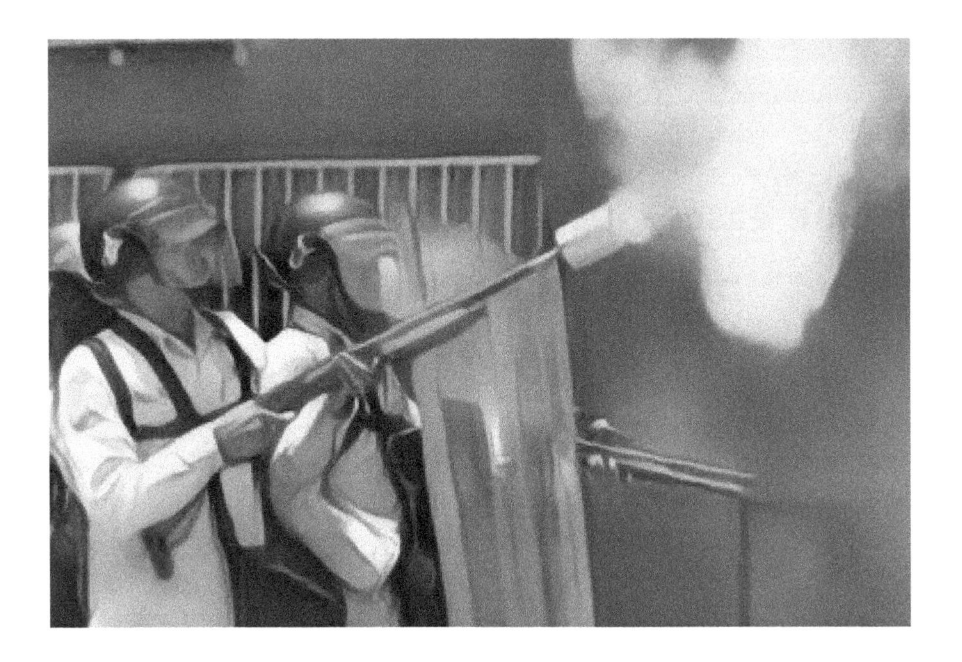

Con gases y perdigones dispersaron a manifestantes en Táchira

El 23 de marzo de 2014 la periodista Mariana Duque, de Últimas Noticias, reportó:

-Una multitudinaria marcha, realizaron el sector estudiantil, políticos de oposición y sociedad civil el día de ayer hasta la Gobernación del Estado Táchira, para pedir la liberación del alcalde del Municipio San Cristóbal, Daniel Ceballos, quien fue detenido la noche del pasado miércoles en la ciudad de Caracas, por presuntos delitos de rebelión civil y agavillamiento.

Agregó la periodista que los manifestantes, partiendo desde diversos puntoscon el fin de intentar llegar frente a la sede del Gobierno regional, portando banderas, pancartas y mensajes como: "Liberen a Daniel Ceballos", "GNB mi protesta también es para que tu puedas ir al mercado", "Vielma Mora renuncia", "No tenemos miedo", entre otros, llegaron los manifestantes; sin embargo se encontraron con una tanqueta de la Guardia Nacional y varios piquetes de efectivos militares y policías, que impedían el paso por distintos puntos a la Gobernación.

Mariana Duque en el siguiente segmento explicó:

-Todo transcurría con normalidad. Los marchantes entonaron las notas del Himno Nacional y se mantuvieron por un lapso aproximado de una hora en tranquilidad, solo pidiendo en cada cordón que dejaran terminar de pasar a quienes quedaron por fuera. En ese tiempo, otros acompañantes se retiraron del lugar.

Sin embargo, "Una situación de tensión se comenzó a ver a la 1 de la tarde, cuando hacia uno de los lados de la Gobernación, el anillo de seguridad estaba siendo empujado por los manifestantes, con la intención de llegar al frente del edificio regional, mientras otros, una cuadra más arriba, frente a otro anillo de seguridad gritaban "sí se puede".

Duque apuntó después:

-En medio de gritos y empujones, la marcha ubicada hacia la parte de arriba logró romper la cadena de seguridad, quedando guardias y policías en medio de manifestantes, por lo que comenzaron a verse y sentirse gases lacrimógenos, y a escucharse detonaciones presuntamente de perdigones.

Quienes asistieron a la marcha comenzaron a gritar y correr hacia donde pudieran resguardarse de los efectos de los gases y de ser alcanzados por perdigones. Algunas mujeres y niños fueron sacados alzados del lugar porque estaban ahogados por los efectos de los gases, mientras otros lloraban y algunos revisaban las heridas de perdigón. Negocios cercanos cerraron sus santamarías y algunos negocios sufrieron daños.

Ese gobernador chavista fue el mismo oficial que el 4 de febrero de 1992, cuando el tirano Chávez utilizó las armas de la República para intentar derrocar al entonces presidente Carlos Andrés Pérez, tuvo como objetivo de guerra la residencia presidencial La Casona, habitada en ese momento por la primera dama Blanca Rodríguez de Pérez, sus hijas y personal de seguridad que se enfrentó y derrotó a los golpistas

Instan al Ejecutivo a respetar los Derechos Humanos

El lunes 10 de marzo de 2014 Julio Materano, de El Universal, reportó:

-Los alcaldes de los municipios Sucre, Baruta, Chacao y El Hatillo rechazaron la represión desproporcionada de los cuerpos de seguridad del Estado en contra de quienes manifiestan en las calles. Ramón Muchacho, alcalde de Chacao, advirtió en nombre de los mandatarios locales sobre el exceso de recursos materiales y humanos en contra la población civil.

"Hemos visto en estos días bombas lacrimógenas y perdigones disparados a edificios residenciales", dijo.

También reiteró al Gobierno la exigencia de respetar derechos humanos y la integridad física de los manifestantes y de quienes permanecen en sus hogares.

Los alcaldes además repudiaron el "llamado irresponsable" que han formulado sectores oficialistas a grupos irregulares, para que intervengan en el conflicto social. "Rechazamos existencia de grupos paramilitares en Caracas", dijo Muchacho al instar al Ejecutivo a desarmarlos y desmovilizarlos.

Agregó Materano:

-Asimismo, ratificaron su apoyo irrestricto al movimiento estudiantil, a la sociedad civil, a los partidos políticos y a todos los venezolanos que ejercen actividades pacíficas de protestas. "Estamos resteados con nuestros vecinos y con todo el que quiera ejercer su derecho", afirmó. Sin embargo, advirtió que rechazan la violencia y la destrucción de propiedades públicas y privadas, y la tranca de calles.

"La única protesta que rinde frutos y que nos puede llevar a conseguir cambios positivos es la protesta pacífica contundente, sostenida en el tiempo, con objetivos claros y con liderazgo y contusión política", enfatizó.

Finalmente, alertaron sobre "la ejecución de una maniobra política, promovida por algunos sectores del oficialismo, que busca impulsar una acción judicial en la Sala Constitucional del Tribunal Supremo de Justicia con el objetivo de intervenir varias alcaldías gobernadas por la Unidad. Una acción que quebrantaría abiertamente el orden constitucional y el Estado de Derecho, además de desconocer la voluntad de los caraqueños, expresada en las elecciones del pasado 8 de diciembre".

Detención de periodista de 2001

El domingo 23 de marzo de 2014 el diario El Universal reportó:

-Caracas. - Pasadas las 10:30 pm de este sábado y luego de estar cerca de tres horas detenida, rindiendo declaraciones "en calidad de testigo", la periodista del diario 2001, Mildred Manrique fue liberada.

Estuvo en el Destacamento N 51 de la Guardia Nacional Bolivariana (GNB) tras cumplirse un allanamiento en su residencia ubicada en el edificio For You de Altamira, municipio Chacao.

El allanamiento a su apartamento se cumplió el sábado durante la tarde luego que efectivos de la GNB fueran supuestamente repelidos con objetos contundentes desde los pisos superiores del inmueble. Tres jóvenes habrían estado detrás de la acción.

-En horas de la noche de este sábado –explicó El Universal- el General de Brigada Manuel Quevedo, jefe del Comando Regional Nro. 5 confirmó el allanamiento del edificio For You, específicamente se hizo un procedimiento en el apartamento 5-B, donde dijo, reside una periodista del Bloque Dearmas.

Este general de opereta de la narcodictadura sería premiado posteriormente con la presidencia de PDVSA, empresa que ayudó a destruir

Quevedo, aclaró la fuente, "se refería a Mildred Manrique periodista del diario 2001 y "El inmueble está ubicado frente a la Plaza Altamira en la avenida San Juan Bosco."

Según se informó, en el apartamento habrían sido localizados implementos como chalecos antibalas y cascos, además de una computadora con supuesto material contrario al Gobierno. Sin embargo, en estos días muchos comunicadores sociales cuentan con dichos implementos para la cobertura de las protestas que se han venido desarrollando desde el 12 de febrero.

Por su parte el abogado Alfredo Romero en su cuenta en la red social Twitter indicó además que Geraldine Falcone, hija del cónsul de Italia en el país también habría sido sacada y detenida del edificio por la Guardia Nacional Bolivariana, al igual que Katherine Suárez, César Rei, y Francisco González.

Motorizados con licencia para matar

El domingo 16 de marzo de 2014 la periodista Marta Colomina, de El Universal, escribió:

-La violencia ordenada por Maduro está fuera de control. Sus motorizados al servicio del Gobierno disparan enloquecidos a quienes encuentran a su paso por las calles de Valencia, Maracay, San Cristóbal, Mérida y otras, asesinando, destruyendo propiedades, mientras cuerpos de seguridad del Estado los protegen y encubren. Cada día la represión oficial contra las protestas estudiantiles es más feroz y violadora de sus derechos constitucionales, incluyendo el derecho a la vida. Esta semana cientos de manifestantes han sido detenidos, algunos hasta torturados y asesinados. Maduro, como si se tratase de una guerra contra el imperio, mientras habla de paz y amor, ordena a la GNB, la PNB, a sus motorizados y hasta al Ejército, arremeter contra el democrático y valiente empeño estudiantil de no abandonar las calles como forma de lucha contra la ilegitimidad y conducta dictatorial de un gobierno cada vez más contrario a los intereses del país.

Identifican a funcionarios en fuerzas de choque de Valencia los llamados colectivos han usado instalaciones militares y sindicatos. Cuantos más crímenes cometan más claro estará el mundo de que en Venezuela hay una dictadura

Y detalló:

El miércoles hubo 3 muertos y 15 heridos en Valencia. Según testimonios de vecinos, unos 50 motorizados dispararon indiscriminadamente en La Isabelica, al norte de Valencia, dejando dos personas muertas: Jesús Enrique Acosta (23) recibió un tiro en la cabeza y el preparador deportivo Guillermo Alfonso Sánchez (42) murió por un balazo en el tórax. Ninguno de los dos fallecidos estaba participando en las protestas. Acosta se dirigía al gimnasio y Sánchez pintaba la casa de sus padres. Cuando escuchó las detonaciones, corrió para protegerse, pero los motorizados que gritaban consignas a favor del Gobierno, lo interceptaron. Sánchez, dicen los testigos, se subió la camisa para que los delincuentes vieran que no estaba armado, pero le dispararon sin piedad. Su viuda, denunció a los medios: "a mi esposo lo mataron los colectivos armados y no un francotirador, como dice el gobernador Ameliach. Eso es una patraña".

Luego acusó:

-Los motorizados de Maduro tienen licencia para matar, destruir y saquear bienes públicos y privados, según se comprueba de las declaraciones públicas del propio Maduro, del vicepresidente Arreaza ("comportamiento de los colectivos motorizados es ejemplar") y de la "Defensora", quien mientras motorizados asesinaban a Acosta y Sánchez en Valencia, ella rechazaba que medios "atribuyan muertes a colectivos". Con tantos testigos en el país que han visto y sufrido cómo esos "colectivos" (deberíamos llamarlos "delictivos") disparan indiscriminadamente, Maduro riposta que "la prensa burguesa tituló: tres muertos y 14 heridos en Carabobo, pero no dice que fueron obra de francotiradores de grupos guarimberos". Acusa a la "derecha fascista" de demonizar a los motorizados, a quienes calificó de "multiplicadores de la paz". Solo esta semana, además de los asesinatos ya descritos, "ataque de colectivos dejan 2 heridos y destrozos en urbanización Maracay" (EU 14-03-14), vecinos de Chacao denuncian que quienes destruyeron las oficinas públicas de la Torre Británica fueron transportados en camionetas y protegidos todo el tiempo por la GNB. "Mientras vándalos ingresaban y prendían fuego en la torre, varios de los que protestaban y vecinos de la zona buscaron mangueras para apagar las llamas", reporta agencia Reuters. Tan implicado está el Gobierno, que los empleados públicos de los pisos bajos de la torre fueron trasladados antes del ataque hacia el PH. Vecinos de Candelaria denuncian que fueron atacados a tiros por "colectivos motorizados". Asesinos del estudiante Tinoco en el Táchira llegaron en motos y hasta emboscados en una ambulancia, crimen de lesa humanidad. Copei acusa que "la FANB y colectivos operan juntos para reprimir en el Táchira", horror que se repite en todo el país. La lista de delitos es interminable.

Al final del artículo aseveró:

-Maduro está tan al descubierto dentro y fuera de Venezuela (por eso su ausencia en la toma de posesión de Bachelet) que ya ni los suyos le creen cuando acusa a la MUD y a estudiantes de los delitos que cometen sus facinerosos: 840 bombas lacrimógenas lanzaron contra la marcha de la UCV. Con los millones de $ que ha dilapidado Maduro en gas del malo, perdigones, tanquetas, y otros, podría haber dotado al país de medicinas y alimentos, e impedir que 100 mil pacientes de cáncer mueran por falta de equipos e insumos. Mientras ocurre represión tan abominable, la Fiscal y "Defensora" juran en Ginebra que aquí no hay estudiantes detenidos o maltratados; el TSJ, brazo político de Maduro, pretende acorralar a los alcaldes opositores y los valientes estudiantes resisten embestidas tan brutales.

Maduro no quiere entender que cuantos más crímenes cometan sus "delictivos" y esbirros, más claro estará el mundo de que en Venezuela hay una dictadura y más persistirán los estudiantes en su lucha liberadora… tic, tac.

La Policía Nacional detuvo a cinco personas en las inmediaciones de la Plaza Francia

El 22 de marzo de 2014 El Nacional Web reportó:

-Al finalizar la marcha opositora en Chacao, un grupo de los manifestantes caminó hasta plaza Altamira, donde se inició un fuerte ataque de la GNB y la PNB contra las personas que intentaban bajar hacia la autopista.

Los hechos iniciaron después de las 3:00 de la tarde, según reportes de los manifestantes y vecinos en Twitter. Dos unidades de la ballena y decenas de tanquetas se podían apreciar en el sector.

La fuente añadió:

-Después de la intensa represión, vecinos de Altamira bajaron de sus edificios y, a fuerza de consignas, lograron el retiro de la PNB. La gente volvió a reagruparse en la plaza Francia después de las 4:15 pm.

También se ha reportado fuerte presencia policial en Chacao. Se han desplegado ballenas y gran cantidad de funcionarios con equipo anti-motín que están reprimiendo manifestantes. Bombas lacrimógenas han sido lanzadas en la avenida Arturo Uslar Pietri, que a las 6:32 pm se quedó sin alumbrado público, y la calle Sucre. Algunas cayeron dentro del centro comercial San Ignacio.

El general Manuel Quevedo Fernández, jefe del Comando Regional 5 de la GNB, informó que los efectivos de la PNB detuvieron a cinco personas en las inmediaciones de la Plaza Francia de Altamira.

Exceso de fuerzas policiales

El 23 de marzo de 2014 la entonces fiscal general de la República, Luisa Ortega Díaz, reconoció que en las manifestaciones que se están efectuando en el país los funcionarios han extralimitado su fuerza, "sí han habido excesos policiales" e indicó que se están realizando las investigaciones pertinentes.

Así lo reseño 2001, adicionando que la alta funcionaria agregó que se están investigando las denuncias de torturas que han recibido, dicho y que "hay 3 funcionarios de la policía de Chacao a quienes se le atribuye la presunta comisión del delito de homicidio".

También señaló que "quieren hacer ver a Venezuela como un Estado violador de los derechos humanos".

Advertencia a Maduro

El 21 de marzo de 2014, Bony de Simonovis le advirtió al narcodictador Nicolás Maduro: "Estamos documentando todas las violaciones a los DDHH que comete tu Gobierno".

La advertencia, hecha en su cuenta en Twitter y publicada en 2001, tras recordar que su esposo el comisario Iván Simonovis llevaba a la fecha 9 años y 118 días preso, indicó que Nicolás Maduro tiene ciertas similitudes con Juan Vicente Gómez y el General Pérez Jiménez.

Igualmente señaló que "cada venezolano es un valiente fotógrafo".

También en 2001, con información de EFE, el expresidente colombiano Andrés Pastrana, denunció en la misma fecha una clarísima violación de la democracia en Venezuela y lamentó que América Latina ha dejado absolutamente sola al país.

Muerte de dos personas en protestas

El 23 de marzo de 2014, Diario La Hora, de Porlamar, con información AP, reportó:-Miles de personas se concentraron este sábado en Caracas para marchar a favor o en contra del gobierno, en un ambiente de violencia que no cesa y que cobró dos nuevas víctimas fatales en las últimas 24 horas.

Cuando la protesta opositora había terminado y la gente se marchaba, un grupo de jóvenes intentó tomar una autopista y fue repelido con bombas lacrimógenas por policía nacional pertrechada con equipos antimotines, constató la AP.

Mientras, un manifestante y un transportista murieron baleados en incidentes violentos separados que se registraron en los estados Carabobo y Táchira, informaron el sábado las autoridades.

Argenis Hernández falleció este sábado en un centro médico del municipio San Diego del estado centro costero de Carabobo tras ser baleado en la víspera en un incidente que se registró en esa localidad, indicó el director de Relaciones Institucionales de la alcaldía, Asdrúbal Farfán.

Hernández recibió un disparo de bala en el abdomen durante discusión el viernes por la tarde con un motociclista, quien se molestó por el bloqueo de una calle y disparó contra el joven, según informó a The Associated Press el alcalde encargado del municipio San Diego, Pablo Domínguez.

En tanto, el conductor, identificado como Wilfredo Rey, murió tras recibir un disparo en la cabeza el viernes por la noche, durante supuestos ataques de grupos oficialistas contra viviendas de opositores que se mantienen en protestas callejeras desde hace más de un mes, dijo a la AP Sergio Vergara, alcalde encargado de la ciudad de San Cristóbal, en el Estado Táchira.

Un muerto y cuatro policías heridos durante protestas en Mérida

El 23 marzo de 2014 Mariana Contreras, del diario La Nación, de San Cristóbal, reportó:

-Un hombre de 40 años murió y cuatro funcionarios policiales fueron heridos por armas de fuego durante las manifestaciones registradas este sábado en el centro de Mérida, según informó Carlos García, alcalde de la ciudad merideña.

Jesús Orlando Labrador falleció tras recibir un impacto de bala en el hemitórax izquierdo, cuando se encontraba cerca de la avenida Cardenal Quintero, lugar en donde en horas de la tarde este sábado se presentaron hechos irregulares. Fue trasladado al Hospital Universitario de Los Andes.

Se informó que la tarde de este sábado un grupo de encapuchados secuestró e incendió una unidad de transporte público en dicho sector, hecho que ameritó la intervención de la policía estadal y en el que resultaron heridos por armas de fuego los 4 funcionarios.

"Terminamos de orar y nos atacaron brutalmente a todos, casa por casa"

Mientras terminaban de elevar una plegaria por Venezuela en un círculo de oración que forman todas las noches, desde hace 40 días aproximadamente, los vecinos de la urbanización Rómulo Colmenares fueron alertados de que se acercaban tanquetas y efectivos de la Guardia Nacional. "Todos nos dispersamos y hasta nos metimos en casas diferentes. Cortaron la luz, partieron las ventanas, nos tirotearon", dijo una señora llorando.

Y es que desde las ocho de la noche del viernes 21 de marzo el terror se apoderó de los habitantes de la urbanización Rómulo Colmenares, Simón Bolívar y Táchira, cuya población fue reprimida dentro de su propia casa por efectivos militares y de la PNB durante más de ocho horas, aproximadamente hasta la cinco de la mañana de este sábado, según relataron los afectados.

La periodista añadió:

-Mostrando los restos del brutal ataque entre conchas 9mm, cartuchos de perdigones y de gas lacrimógeno (la gente pudo recoger más de 500 bombas entre todas las veredas), la señora Ana, con lágrimas en los ojos y temblando, comentó que hicieron desastres en todas las casas, las cuales fueron apuntando una por una para partir los vidrios de las ventanas, tirar las bombas adentro y meter el fusil para disparar los perdigones.

Una de las víctimas declaró:

-Estábamos terminando de rezar el rosario cuando nos avisaron que venían y a montones, todos nos dispersamos y quedamos en diferentes casas. En mi casa se metió mi hijo, su esposa y mi nieto que se estaba asfixiando. Venían a matarnos y nos dijeron que si seguíamos protestando esta noche (sábado) nos venían a masacrar. Ya desocupamos la casa y sacamos a mi nieto.

De acuerdo con los vecinos esta es la sexta vez que la GN arremete contra ellos, pero la del lunes 10 y el viernes 21 han sido las más fuertes. Juan Rodrigo, habitante de la Urbanización Rómulo Colmenares vereda 1, expresó que llegaron apuntando a las ventanas, rompiendo los cristales y tirando las bombas y los perdigones, desde la calle 1 hasta la 4 donde tumbaron el portón.

Otra víctima afirmó:

-Nos han atacado vilmente y violando nuestro espacio privado, han entrado cinco tanquetas a las calles intimidando y creando terror en la comunidad. Un GN amenaza desde la tanqueta diciendo que si seguían las protestas nos iban a mandar los colectivos, que el sábado iban a arremeter más, que nos iban a masacrar, que iban a enviar funcionarios de civil para detener y torturar a la gente.

La tercera víctima expresó:

-Un joven de 23 años perdió el ojo porque un PNB encapuchado, porque a ellos no se les ve el rostro andan disfrazados, lanzó un perdigón. Hay otros heridos con perdigones y con armas blancas, como a un joven que le perforaron el costado con un cuchillo, a otros cuando casi los matan a golpes".

La comunidad hizo un llamado al gobernador Vielma Mora, haciéndolo responsables de todo lo que suceda en la urbanización Rómulo Colmenares donde señalaron a un guardia de apellido Bautista como el líder de los efectivos para arremeter contra la comunidad. "Este gobierno no es democrático, y ayer lo vimos en la OEA. Que todo el mundo se entere de la barbaridad de este gobierno que lo que hace es asesinar a su pueblo".

Asimismo, aseguró que las barricadas instaladas en el sector obedecen a razones de seguridad, ya que en una oportunidad llegaron los colectivos e hirieron de bala a dos vecinos.

-Se supone –indicó- que la GN debe venir a quitar las barricadas y retirarse, pero sin ningún motivo, nos atacaron brutalmente disparando casa por casa y metiendo cuatro tanquetas a las calles. Es una guerra, pero ellos están armados y nosotros indefensos", dijo A. Gálviz.

Por su parte el entonces diputado a la Asamblea Nacional, el historiador Walter Márquez, declaró:

-La brutal agresión a varias comunidades de San Cristóbal, especialmente la urbanización Rómulo Colmenares, constituye un grave delito de lesa humanidad. Hemos estado en presencia de varios hechos insólitos. La Convención de Viena y el Derecho Internacional Humanitario prohíbe agredir a poblaciones civiles que estén al margen del conflicto y esta agresión representa una violación a los derechos humanos, la Constitución y los tratados internacionales.

Asimismo, aseguró que llevaría el caso a instancias nacionales e internacionales por agresión a la población civil.

-Vielma Mora –afirmó- no tiene pantalones para renunciar, porque dijo que si había un solo muerto renunciaba. Hay personajes que recuerda la historia tachirense, uno fue en la época de Juan Vicente Gómez que colgó a dos personas en la plaza Los Mangos. Eustoquio Gómez. Y Vielma Mora se ha convertido en otro Eustoquio Gómez, es responsable como gobernador por todo lo que está ocurriendo.

De verde a putrefacta

El 22 de marzo de 2014, en Correo del Caroní, la columnista Carolina Jaimes Branger, publicó el artículo que se reproduce a continuación:

¿En qué clase de monstruos nos hemos convertido?... Me siento abatida desde que vi la foto del joven discapacitado Carlos Requena rodeado de guardias nacionales, quienes lo estaban "protegiendo" en Altamira, y me enteré por su tía, que es amiga mía, que la fulana "protección" fue una andanada de golpes que le dieron 8 motorizados de la "gloriosa" Guardia Nacional, ésos que tienen el "honor" como divisa.

Carlos tiene 38 años. Nació con el paladar abierto, una condición que hoy en día se opera al nacer y no deja secuelas, pero que hace 4 décadas era un trastorno de graves consecuencias, pues no lo pudieron operar sino hasta casi su primer lustro de vida, cuando ya la desnutrición -todo lo que tragaba se le iba "por el camino viejo"- le había causado retardo mental. Su físico no lo delata, como sucede con quienes padecen de Síndrome de Down, pero al hablar con él es obvia su discapacidad.

El terrible día de su encuentro con la GN Carlos venía caminando en dirección al este desde su trabajo en una tienda de equipos electrónicos en Chacao, porque el metro estaba cerrado. Se detuvo en el Hotel Caracas Palace y no se dio cuenta de que venía una horda de motorizados verde oliva, aunque pienso que si se hubiera dado cuenta no hubiera sucedido nada diferente. Ocho de ellos le cayeron encima, y además de sofocarlo lo golpearon con los cascos, por lo que hemos visto en este mes una nueva modalidad de "saludo" del cuerpo militar. Carlos perdió el conocimiento y se lo llevaron a Fuerte Tiuna. Allí permaneció dos días detenido y salió gracias a la intervención de los abogados del Foro Penal Venezolano.

Las esposas le apretaban tanto que salió con las manos hinchadas y todavía le duele la cabeza.

La Constitución Nacional garantiza la protección a las personas discapacitadas y precisamente la Guardia Nacional "Bolivariana" se permite violar la garantía de la autonomía funcional de los seres humanos con necesidades especiales. Repito que hemos retrocedido al siglo XIX, cuando José Tadeo Monagas con todo su cinismo aseguraba que la Constitución "era un librito amarillo que sirve para todo". Por lo visto, la Guardia Nacional tampoco tiene papel toilette.

Dos días después supe de otro caso que me partió el corazón: el del joven Rafael Ángel Cardozo Maldonado, un muchacho con retardo mental severo, quien fue apresado por la Policía Nacional Bolivariana dentro del Cuartel de Bomberos de San Cristóbal cuando irrumpieron a dispersar a manifestantes. El relato del concejal José Vicente García para los pelos de punta: "Un PNB, en su afán de capturar a uno de los manifestantes, ingresó con su moto al Cuerpo de Bomberos y la chocó con una pared dentro de la institución. Al joven que agarraron, cuya identidad desconocemos, lo golpearon fuertemente y un bombero quiso intermediar y el efectivo militar respondió que 'eran órdenes del gobernador del estado y que si él (el funcionario bomberil) se metía en ese asunto, también se lo llevaría detenido".

Según el reporte de Lorena Evelyn Arráiz para El Universal, "Moreno señaló que el joven fue trasladado al Cuartel Bolívar de Barrio Obrero. Se conoció por otro joven detenido, que por ser hijo de chavista lo dejaron libre, que a Rafael Ángel Cardozo fue al que más golpearon porque no contestaba lo que le preguntaban los efectivos militares. Le dijeron a quienes viven con él, que le llevaran ropa limpia para llevarlo a la Fiscalía".

Pero el caso es aún más patético: quienes viven con él no pueden pasar a verlo porque no son sus familiares. Cardozo Maldonado es huérfano de padre y madre, y su hermano, con quien vivía también falleció. Su vecina se encargó de él y hasta los momentos en que escribo esta crónica, no la habían dejado entrar al Cuartel Bolívar. Tampoco a Raquel Sánchez, abogada del Foro Penal Venezolano Capítulo Táchira. Ella habló con el mayor a cargo en el Cuartel Bolívar y al parecer éste no se había percatado de que el apresado tenía retardo mental.

La Venezuela de Maduro es violenta, perversa y mala. Ha pasado de verde a putrefacta sin haber madurado…

El pronunciamiento del Comité Interamericano de las Academias Nacionales ante los hechos de violencia

El 18 de marzo de 2014 una nota de David Guerrero, del Colegio Nacional de Periodistas dio a conocer que "Mediante una rueda de prensa, el Comité Inter académico de las Academias Nacionales presentó ayer lunes 17 de marzo un comunicado con el fin de exponer su posición antes los recientes casos de violencia, represión, detenciones y torturas suscitados en el país haciendo un llamado a que cesen estos hechos que violan el orden público y el libre derecho a la manifestación pacífica".

El periodista añadió:

-En el acto estuvieron presentes Rafael Muci Mendoza, presidente de la Academia Nacional de Medicina; Luis Cova Arria, presidente de la Academia de Ciencias Políticas y Sociales; Claudio Bifano, presidente de la Academia de Ciencias Físicas, Matemáticas y Naturales; Luis Mata Mollejas, presidente de la Academia Nacional de Ciencias Económicas; Manuel Torres Parra, presidente de la Academia Nacional de Ingeniería y el Hábitat y Francisco Javier Pérez, director de la Academia Venezolana de la Lengua, quienes presentaron un documento denominado "Pronunciamiento del Comité Inter académico de las Academias Naciones ante los hechos de violencia, represión, detenciones, tratos infamantes y denuncias sobre torturas por parte de funcionarios de los cuerpos de seguridad del Estado.

En el siguiente segmento precisó:

-Por su parte, Claudio Bifano agregó que el pronunciamiento no lleva ningún tilde político y que el documento se hará llegar a los distintos Entes del Estado y de manera internacional a través de la Red Interamericana de Academias para la defensa de los derechos ciudadanos del país. A su vez hizo énfasis en los Art. 57, 58,68 de la Constitución los cuales defienden el derecho a protestar de manera pacífica y sin armas, siendo esto el motivo para el rechazo de manera categórica al empleo de torturas y tratos crueles durante las detenciones en las manifestaciones.

El gobierno es responsable de la muerte de Mónica Spear

El miércoles 8 de enero de 2014 la entonces parlamentaria María Corina Machado emitió el comunicado que sigue:

-Integrantes del Alto Gobierno quisieron ayer evadir la responsabilidad en el horrendo crimen cometido contra Mónica Spear, su esposo y su hija. Además, pidieron al país no politizar el caso; es decir, no atribuirles la culpa de lo ocurrido. Sin embargo, eso es imposible.

El Gobierno es directamente responsable de la muerte de Mónica Spear, porque durante 15 años ha venido destruyendo al sistema judicial y a los cuerpos policiales. En lugar de luchar contra el hampa, el Gobierno ha ordenado a jueces, fiscales y policías; perseguir opositores; fabricar casos; sembrar pruebas; inventar falsos testigos y mantener presa a gente inocente.

Todo el sistema de seguridad se ha venido abajo, porque para el Gobierno la prioridad no es acabar con la criminalidad, sino espiar y desprestigiar a los dirigentes de oposición, destituir diputados y neutralizar las supuestas maniobras del imperio. Los funcionarios oficiales han sido crueles e inmisericordes con Franklin Brito, María Afiuni e Iván Simonovis, pero blandos y permisivos con las bandas de delincuentes, con los pranes y con los presos comunes, a quienes liberan sin cumplir con los mínimos requisitos y a quienes, además, han cedido el control del sistema penitenciario.

Los 10 millones de armas ilegales que circulan con su halo de muerte por las calles de nuestras ciudades y pueblos; los colectivos armados y la percepción, emanada desde el corazón del alto gobierno, de que en Venezuela el crimen se paga, son responsabilidad de un régimen malandro, que desde hace más de una década se reparte el país como si fuera un botín. Porque llevan años intentando someternos y hacernos creer que en Venezuela lo malo no es ser delincuente, sino oponerse al modelo cubano.

Desde el Alto Gobierno se incentiva la impunidad, porque los malandros, junto con el resto del país, ven televisión y observan cómo los matones del PSUV golpean en pleno hemiciclo a diputados opositores y luego son premiados con cargos públicos. También observan cómo los chavistas y sus hijos se hacen ricos, sin recibir castigo alguno, a menos que se aparten de la línea del partido. Y han aprendido, a través de años del modelaje, el lenguaje del odio, la agresión, la violencia y el resentimiento. Los delincuentes concluyen que pueden matar y robar impunemente, siempre y cuando griten Uh, ¡Ah y No volverán!

Como resultado de esta visión monstruosa, el año pasado murieron 25 mil venezolanos a manos del hampa y más de 200 mil durante estos 15 años de gobierno chavista. Mónica Spear y su familia no son un hecho aislado. Son consecuencia directa e ineludible de una política de Estado que está acabando con nuestro país.

Ayer presenciamos como altos dirigentes del régimen pretendieron disolver su responsabilidad directa ante la tragedia que vive a diario el venezolano común y que ellos se han encargado expresamente de ocultar, entorpeciendo la labor informativa de los medios de comunicación privados a través de todo tipo de censuras y sometiendo al sistema de medios públicos a una servidumbre comunicacional sin precedentes en nuestra historia democrática. La verdad que es que son incapaces de asumir que el caso Spear, por su resonancia internacional, se les fue de las manos.

En la siguiente parte del documento expresó:

No han podido, como hacen a diario con los cientos de crímenes de ciudadanos anónimos, mantenerse indiferentes; no han podido silenciarlo, obviarlo, minimizarlo. La crueldad, la violencia absurda de este caso con resonancia pública ha traspasado nuestras fronteras y le ha quitado la careta a un régimen que está muy consciente de esta realidad y que, sin embargo, se ha rehusado de manera sistemática a ejercer su rol de gobierno y a cumplir con su obligación de proteger la vida de los ciudadanos.

Por eso, no nos engañemos: no es que Maduro no pueda acabar con la violencia. La realidad es que no quiere hacerlo, porque la violencia ha sido y es para este régimen una política de Estado, que persigue el control físico, social y espiritual de la sociedad.

Si en verdad los voceros del Gobierno estuviesen interesados en combatir el hampa, como ofrecieron ayer en rueda de prensa, entonces darán muestras de voluntad de cambio, haciendo un viraje drástico en su fallido Plan Patria Segura. En ese caso, se comprometerán a despolitizar el sistema judicial y las policías, removiendo de sus cargos a la actual directiva e incorporando figuras de prestigio nacional; se suspenderá el uso de las fuerzas policiales y los organismos de seguridad para perseguir opositores y para nutrir sus numerosísimas unidades de escoltas y avocarlos con un objetivo superior: combatir la criminalidad.

Y como señal de buena voluntad, liberaran esta misma semana a Iván Simonovis, al promulgar una ley de amnistía que garantice la liberación de los presos políticos, el regreso de los exiliados y el cese de la persecución a la disidencia.

Los estudiantes no le temen a la represión

El 22 de marzo de 2014 el periodista Álex Vásquez, de El Nacional, reportó:

-La diputada del Parlatino, Delsa Solórzano, que participa en la gran marcha "Por la libertad, ¡Dale un parao!", convocada por la oposición, agradeció a los estudiantes por no temerle a la represión: "Más miedo tienen de perder la libertad".

Y agregó:

-Durante su intervención pidió a la multitud, congregada el frente del Hotel Embassy Suites, "un grito que llegue a Ramo Verde" en apoyo a los presos políticos Leopoldo López y los alcaldes Enzo Scarano, de San Diego, y Daniel Ceballos, de San Cristóbal.

La narcodictadura condecora a guardias nacionales represores

El 22 de marzo de 2014, según informó Clavel Rangel, de El Nacional, el entonces comandante en jefe de la Guardia Nacional, Justo Noguera Pietri, condecoró a 11 efectivos heridos durante "actos vandálicos" con la Orden Militar de la Defensa Nacional en la Orden de Caballero.

> *No eran actos vandálicos como los calificó el jefe de la siniestra guardia nacional, sino eventos cívicos amparados por la Constitución Nacional y las heridas recibidas por esos militares fueron la respuesta de los manifestantes a la violencia oficial*

Los actos de violencia tuvieron lugar en la urbanización Los Olivos.

Multitudinaria concentración contra la narcodictadura

El 22 de marzo de 2014, bajo el lema "YoLuchoHastaVencer", miles de venezolanos caminaron desde distintos puntos de la ciudad de Caracas para escuchar en una multitudinaria concentración en la avenida Francisco de Miranda el mensaje de Carlos Vecchio, Antonio Ledezma, Freddy Guevara y Leopoldo López, quien exigió a través de una carta leída por su esposa Lilian Tintori, la renuncia de Nicolás Maduro a la Presidencia de la República para salvar a Venezuela.

-Tintori, -reseñó El Nacional- acompañada de la esposa del alcalde de San Cristóbal Daniel Ceballos, Patricia Gutiérrez, con la carta en sus manos escrita por el coordinador nacional de Voluntad Popular en Ramo Verde expresó:

-Maduro, nadie duda que te has convertido en el dictador de Venezuela. La crisis que atraviesa el país no es culpa del pueblo ni de quienes apoyan al régimen ni de quienes los oponemos. La culpa, Nicolás, es tuya y del gobierno corrupto que diriges (...) Te invito a que desde la soledad del poder pienses en cómo salvarías a Venezuela si tú renunciaras (...) Si tu renuncias podemos avanzar todos los venezolanos en democracia y libertad; si tu renuncias podemos enterrar la impunidad y conseguir el camino a la justicia y la paz que tanto necesitamos; si tu renuncias podemos construir una economía fuerte con productos Hecho en Venezuela y que permita superar la desigualdad de los venezolanos, si tu renuncias podemos tener prosperidad y progreso para todos y superar así la pobreza de todos los venezolanos, si tu renuncias podemos tener un país soberano, libre de intereses extranjeros y de la injerencia y sumisión del régimen cubano, si tu renuncias podemos rescatar a la Fuerza Armada Nacional y vernos dignamente en su uniforme (...). Desde la cárcel le pido a Dios que te ilumine, para que te de la fuerza para renunciar. A ti Maduro, si no das el paso que te corresponde, tendrás a millones de venezolanos en la calle luchando por la libertad. La primera solución la tienes en tus manos, debes estar claro que no eres dueño de Venezuela. Somos herederos de Bolívar y los libertadores, de los que lucharon en la dictadura de Marcos Pérez Jiménez y sobre todo somos responsables de nuestros hijos y su futuro, cuántos muertos más, cuánta más represión (...) No te tenemos miedo ni a ti, ni a tu gobierno, el pueblo seguirá en las calles porque ha perdido tanto que ya perdió el miedo. Por Venezuela, por nuestros hijos, ¡Fuerza y fe!", expresaba el texto.

Por su parte, el dirigente nacional de Voluntad Popular, Carlos Vecchio, salió por minutos de la clandestinidad para agradecer al pueblo de Venezuela el acompañamiento a la lucha que viene liderizando el movimiento estudiantil venezolano que "hoy no son el presente sino el futuro de nuestro país" y "En nombre de los perseguidos y presos políticos invitó a todos los venezolanos a decir #YoLuchoHastaVencer".

Y agregó:

-Este grito de libertad está impregnado en nuestra historia y ese es nuestro espíritu de lucha. Lo que hoy nos gobierna están defendiendo sus negocios y han restringido esta libertad en todos los sentidos (...). Nosotros tenemos que rescatar la libertad de un pueblo que quiere superarse. Esta lucha hermanos no es pueblo contra pueblo, es contra la cúpula del poder que sigue oprimiendo a los venezolanos (...). A nosotros nos toca unir a este país, amarrillo, azul y rojo por toda Venezuela (...). Yo les pido a todos los venezolanos que hoy Venezuela tiene una luz de libertad, yo le pido a los venezolanos que cada día juntos digamos #YoLuchoHastaVencer. ¡Dios los bendiga!".

En el acto también intervino la madre de Bassil Da Costa, el primer estudiante caído en la manifestación del 12 de febrero, quien expresó: "mi hijo era un valiente, no lloren más por mi hijo. Hoy estoy recién operada, pero vine por él y por todos los jóvenes para que sigan luchando por su libertad y su futuro. Mi hijo era mi vida y me lo arrancaron, así que a todas las madres luchen por sus hijos como yo lo voy a seguir haciendo. Bassil es el hijo de todas las madres venezolanas. ¡Dios bendiga a todos nuestros hijos!", exclamó.

La muerte de Argenis Hernández

El 22 de marzo de 2014 la periodista Tibisay Romero, de El Nacional, reportó la muerte del joven Argenis Hernández, de 26 años, como consecuencia de un impacto de bala en el abdomen recibido mientras protestaba en San Diego, Estado Carabobo.

-A la morgue de Valencia –indicó- fue trasladado este sábado en la madrugada el cuerpo sin vida del joven Argenis Hernández, de 26 años, que fue herido cuando protestaba cerca de la urbanización Los Tulipanes, en San Diego, el viernes en la noche.

Hernández se mantenía junto con otros manifestantes en la vía que conduce hacia la autopista Variante Bárbula-Yagua cuando llegó un motorizado que quiso pasar sobre la barricada y le dieron la voz de alto. El hombre sacó un arma de fuego y disparó contra Hernández, que resultó con heridas en la zona abdominal y el pecho. El motorizado huyó rápidamente de la zona.

El 23 de marzo de 2014 Dorys López Villegas, de El Carabobeño, con información de Heberlizeth González, reportó:

-Un año ha transcurrido desde el 22 de marzo de 2014, cuando Argenis de Jesús Hernández Moreno, de 26 años, pasó a encabezar la lista de asesinados en Carabobo durante protestas. Hasta la fecha, su caso continúa impune.

Pese a la magnitud del caso y a la cobertura que tuvo, dada las circunstancias bajo las que ocurrió, las autoridades hasta ahora no han realizado ninguna detención por esta muerte, al menos así lo afirmó una fuente cercana a la familia Hernández.

Aunque medios regionales, nacionales y hasta internacionales han intentado dialogar con los padres de Argenis, estos se han mantenido al margen por miedo a represalias y daños a terceros.

La misma fuente sostuvo que, en conmemoración del primer aniversario de la muerte del joven, fue celebrada una misa en su honor en una iglesia del Municipio Naguanagua.

La periodista recordó igualmente:

-Argenis de Jesús murió la madrugada de aquel sábado 22 de marzo tras recibir un disparo en el abdomen cuando manifestaba en la urbanización El Tulipán, Municipio San Diego. En aquel entonces, testigos aseguraron que el "gatillo alegre" que disparó en contra del muchacho fue un presunto funcionario de la Policía Municipal de esa jurisdicción.

-Pasadas las 10:30 de la noche del viernes Argenis estaba en El Tulipán, adonde frecuentaba ir desde que iniciaron las protestas del 12 de febrero en rechazo al Gobierno nacional, cuando junto a un amigo le pidió a un motorizado que se detuviera luego de saltar por una barricada.

El hombre, presunto funcionario de la Policía Municipal de San Diego, no emitió palabra y les disparó tres veces. Una de las balas lo alcanzó en el abdomen y fue llevado a un ambulatorio cercano. Luego al Hospital Universitario Dr. Ángel Larralde y posteriormente a la Ciudad Hospitalaria Dr. Enrique Tejera (CHET), donde murió cerca de las 3:00 de la mañana.

Un amigo de Argenis señala que el motorizado iba con la intención de dispararle a alguien. Según contó, llevaba una pistola en la pierna preparada para el ataque.

Un muerto en Mérida tras arremetida de la Guardia Nacional y colectivos

El 22 de marzo de 2014 El Nacional reseñó:

-Jesús Orlando Labrador, 40 años, murió tras recibir una herida de arma de fuego en las inmediaciones de las residencias El Trébol, en la avenida Cardenal Quintero de Mérida, a las 5:00 pm.

La fuente agregó:

-Según vecinos del sector, Labrador fue alcanzado cuando grupos de motorizados encapuchados y armados, juntamente con contingentes de la guardia nacional y POLIMERIDA, arremetían con disparos y bombas lacrimógenas contra habitantes de la zona. Los bomberos de la ULA lo trasladaron a la emergencia del hospital universitario donde murió poco después pese a los esfuerzos de los médicos por salvarlo.

La Guardia Nacional detuvo a 13 participantes en campamento frente a la sede de la ONU

El miércoles 2 de abril de 2014 el diario El Universal reportó:

-Anoche parte de la capital colapsó. Una marcha en apoyo a María Corina Machado que culminó en enfrentamiento desató una ola de protestas en Chacao, Santa Fe, Cafetal, Santa Mónica, Terrazas del Ávila, Petare, La Urbina y Colinas de Bello Monte entre otros. El cierre de algunas estaciones de Metro y la falta de transporte público afectaron el tránsito.

La fuente añadió:

-Caracas. - La concentración en apoyo a la diputada María Corina Machado, que se realizó en la plaza Brión de Chacaíto, fue finalizada cuando la Guardia Nacional Bolivariana (GNB) lanzó bombas lacrimógenas contra los presentes, lo que desencadenó una retahíla de protestas que culminaron con fuertes enfrentamientos.

Cerca de las 7:30 pm, un contingente de la GNB detuvo a trece jóvenes quienes se encontraban dentro del campamento que se realiza frente a la Organización de Naciones Unidas (ONU). En un enfrentamiento los funcionarios llegaron lanzando gas y disparando perdigones. Se conoció que los efectivos fueron al sitio buscando a los jóvenes manifestantes quienes huían supuestamente desde Altamira, y pese que habían asegurado que con los manifestantes del campamento no se meterían, comenzaron a lanzar bombas lacrimógenas para posteriormente proceder a las detenciones. Se pudo conocer que los apresados fueron llevados a Fuerte Tiuna.

Antes de las seis de la tarde se realizaron en la ciudad una cadena de protestas que, combinadas con la falta del servicio de Metro (Sabana Grande, Chacaíto, Chacao y Altamira) y la inexistencia de unidades de transporte público, colapsaron parte de la ciudad.

En Santa Mónica se hizo una protesta pacífica que afectó el tránsito de los que viajaban por la avenida Lazo Martí o por la Inter vecinal hacía Cumbres de Curumo.

Posteriormente indicó:

-Chacao volvió a ser centro de protestas, pero en esta oportunidad además de las manifestaciones en la avenida Uslar Prietri, un grupo se mudó a la calle Guaicaipuro y armaron un segundo frente donde la GNB también lanzó bombas lacrimógenas y perdigones.

En la avenida había unos 100 funcionarios, tres tanquetas, dos ballenas y varios vehículos rústicos, donde transportan al personal.

También informó:

-A tempranas horas de la noche, los habitantes de Colinas de Bello Monte cerraron el paso de vehículos por la avenida Newton y parcialmente en la avenida Miguelangel; pero las protestas ocasionaron una extensa cola en la vía hacía la morgue de Bello Monte que afectó la vía alterna de Colinas de Los Chaguaramos.

En la avenida Lincoln se desarrolló una manifestación pacífica de vecinos quienes no cerraron el paso vehicular, pero armaron pancartas, gritaron consignas exigiendo justicia.

Después de las 10:00 de la noche un grupo de habitantes de Santa Fe y del barrio Las Minitas salieron a la autopista de Prados del Este a protestar, por lo que la GNB llegó a eliminar la actividad con gases lacrimógenos y perdigones.

Según las redes sociales, al menos quince jóvenes fueron detenidos en la calle San Ignacio de Chacao y llevados por funcionarios de la GNB y Guardia del Pueblo al comando motorizado de estos cuerpos en Maripérez.

También en Las Mercedes, a la altura del nuevo puente que comunica la autopista Fajardo con la avenida Río de Janeiro, se registraron enfrentamientos, esta vez entre estudiantes que habían salido de la marcha de Machado y miembros de colectivos. Se conoció sobre el incendio de la fachada del Ministerio de la Vivienda en Chacao, pero se nos negó la entrada a la zona para verificar lo ocurrido.

Este texto es de la autoría de Pedro García Otero

Batalla campal en Barquisimeto y Cabudare

El 1 de abril de 2014 la periodista María Prato, en un reportaje especial para El Universal, escribió:

-Barquisimeto. - Más de 16 horas de enfrentamientos entre manifestantes y la Guardia Nacional Bolivariana, con un saldo de heridos que aún no ha podido ser contabilizado, se produjo este martes en la capital del Estado Lara.

Reportan que numerosos lesionados se resguardaron en edificios y viviendas, tanto en la ciudad de Barquisimeto como en Cabudare. Se reportan más de 5 detenidos y 14 heridos, sin embargo, hasta avanzadas horas de la noche fue imposible obtener una cifra oficial.

Luego explicó:

-La zona este de Barquisimeto fue el escenario principal de la protesta, aunque también se reportó intensa represión en el oeste de la ciudad en donde se estarían produciendo fuertes enfrentamientos entre efectivos de la guardia nacional y manifestantes.

Por las redes sociales informaron sobre tanquetas incendiadas en la avenida Lara, mientras que las zonas de Los Leones con Lara, entrada de Barquisimeto, El Cardenalito, Los Cardones fueron sometidas al acoso militar, así como urbanizaciones en Cabudare, Tarabana Plaza, Valle Hondo, Santa Cecilia, y se informó sobre cierre con barricadas hacia la salida hacia Acarigua.

Una tanqueta derribó portón de uno de los edificios residenciales de Los

Cardones, mientras que los gases de las bombas lacrimógenas afectaron a los residentes. Se escucharon detonaciones y se denuncian heridos por arma de fuego.

Al final destacó:

-Pasadas las 10:00 de la noche se mantuvo la situación irregular en Fundalara y en Cabudare, así como en el centro y oeste de la ciudad en donde, según denuncias y reportes de habitantes de la zona, motorizados armados y efectivos militares disparan contra residencias privadas y lanzan lacrimógenas, específicamente por la avenida Pedro León Torres y calles 54, 55, 56.

Denuncian ante la corte penal internacional al gobernador del Estado Vargas

El 14 de mayo de 2019 Marighzell Lucena, del portal Analítica, escribió:
-El instituto académico checo Casla, especializado en estudios de América Latina en Praga, denunció ante la Corte Penal Interamericana de La Haya

al menos cuatro ataques de represión por parte de los cuerpos policiales y de seguridad, entre los cuales se destacan la situación registrada la tarde del pasado 30 de abril en la clínica Alfa, en Maiquetía, Estado Vargas, de la cual ha sido responsabilizado el gobernador de la entidad costera, Jorge Luis García Carneiro.

Lucena añadió:

-De acuerdo con lo reseñado por un medio internacional, Tamara Sujú, directora ejecutiva de Casla, el centro especializado destacó que la denuncia se hace necesaria para demostrar los niveles de represión en el país.

Además de García Carneiro también han sido señalados el jefe de la ZODI Vargas, vicealmirante Gustavo Romero Matamoros, y el jefe del 171 de POLIVARGAS, Virgilio Pelequia, como responsables de la represión contra las personas que para el momento manifestaban pacíficamente y debieron salir en busca de refugio en los lugares aledaños.

> *Ese siniestro personaje de la narcodictadura murió, por causa no divulgada oficialmente, el 22 de mayo de 2021. En consecuencia, al igual que ocurrió con el teniente coronel (retirado) Hugo Chávez, no pudo purgar sus crímenes ante la Corte Penal Internacional*

Tras lo cual destacó:

-Al caso de la clínica Alfa se le suman otros tres ataques de represión, uno de ellos también registrado en Vargas en la iglesia San Sebastián de Maiquetía, y otros dos casos reportados en el Táchira y Lara, también en templos católicos.

A través de un vídeo de las cámaras de seguridad de la clínica quedó registrada la manera cómo efectivos de la GNB ingresaron al centro de asistencia privada y en acción represiva y actuaron contra quienes se encontraban en el lugar, incluyendo pacientes, personal y los manifestantes que para el momento buscaban refugio. Entre los heridos figuran mujeres de la tercera edad, quienes fueron impactadas con perdigones algunas en su rostro y extremidades.

Finalizó señalando:

A dos expedientes por crímenes de lesa humanidad abiertos contra Venezuela ante La Haya por casos de torturas, de detención arbitraria, violencia sexual y desapariciones forzadas temporales, se le suma las acciones de represión por parte de los cuerpos de seguridad del estado.

Más de 300 asesinatos por razones políticas

El 27 de enero de 2022 la periodista Nurelyin Contreras, del portal Punto de Corte, reportó:

-Caracas. La ONG Justicia Encuentro y Perdón denunció que desde el 2014 hasta la fecha, 333 personas han sido asesinadas en Venezuela por razones políticas.

De acuerdo con el registro de la organización, 299 son hombres y 34 mujeres. Del total de estos casos, el 95% ha quedado impune bajo la administración del poder judicial en el país.

Luego señaló:

-Durante un encuentro con periodistas, la ONG Justicia Encuentro y Perdón detalló que 170 víctimas murieron en los últimos siete años bajo el contexto de protestas en Venezuela, mientras que 36 fallecieron por persecución política.

Otro de los datos que ofreció la ONG, fue que, del total de víctimas mortales, 38 son menores de edad, 173 en edades comprendidas entre 18 y 30 años, mientras que 74 muertos responden a edades entre 31 y 45 años.

Sin embargo, los adultos mayores no se escapan de esta realidad, 40 de los fallecidos tenían una edad mayor a los 46 años.

Según la ONG Justicia Encuentro y Perdón, Caracas, Miranda, Táchira, Mérida, Carabobo y Zulia, son las entidades que registran el mayor porcentaje de personas asesinadas por razones políticas.

Asimismo, la ONG tiene un listado de 313 presos políticos en Venezuela, durante la administración de Nicolás Maduro, en los últimos siete años en el Poder Ejecutivo.

Represión contra manifestación estudiantil

El 12 de marzo de 2014 los periodistas César Lira y Boris Saavedra, de El Nacional, reportaron:

-Pasadas las 2:30 de la tarde, comenzó la represión contra los estudiantes que intentaban avanzar desde la UCV hasta la Defensoría del Pueblo para consignar un documento. Una persona resultó herida en los hechos por el impacto de una bomba lacrimógena en el rostro.

Después de la 1:30 de la tarde, los estudiantes fueron dispersados con un "ballenazo" y la Policía Nacional... accionó gas pimienta a pocos centímetros de las caras de varios de los manifestantes, quienes habían formado una cadeneta.

Luego, comenzó una lluvia de piedras por parte de los manifestantes que fue respondida con un intenso bombardeo de gas lacrimógeno, en el que resultaron afectadas decenas de personas. Sin embargo, un grupo menor de manifestantes continuó al frente de la cadeneta.

A continuación, señalaron:

-El ataque con lacrimógenas se repitió varias veces. Algunos estudiantes corrían a la plaza del Rectorado para huir de los gases. Equipo de primeros auxilios de la UCV, al igual que voluntarios y doctores del Hospital Clínico Universitario, atendieron a quienes presentaban problemas respiratorios,

El abogado Alfredo Romero, director del Foro Penal Venezolano, denunció a través de su cuenta en Twitter que el estudiante Alfredo Martín Osterman y dos más fueron detenidos en Plaza Venezuela a las 2:02 de la tarde de hoy.

A las 4:00 pm, los estudiantes alertaron que un grupo de motorizados, presuntamente miembros de colectivos, entraron al campus universitario, por lo que se replegaron hacia el Clínico. Los universitarios lograron formar una barricada con fuego cerca de las 4:30 pm en la misma salida de la UCV hacia Plaza Venezuela donde fueron atacados inicialmente.

Más adelante indicaron:

-La marcha convocada por diferentes federaciones estudiantiles del país este miércoles en Caracas no pudo avanzar hasta la Defensoría del Pueblo donde pretendían entregar un documento, en el que exigían la renuncia de la máxima dirigente de dicho organismo, Gabriela Ramírez.

La punta de la marcha estudiantil intentó avanzar por diferentes vías hacia el centro de la ciudad desde El Rosal y Bello Monte, pero los efectivos de la Guardia Nacional y de la Policía Nacional Bolivariana bloquearon las rutas de acceso a su meta

A la cabeza de la marcha el presidente del Centro de Estudiantes de la Universidad Católica Santa Rosa, Eusebio Costa, indicaba en horas del mediodía que la movilización llegaría a Plaza Venezuela a través de la Universidad Central de Venezuela, donde esperaban dialogar con los organismos de seguridad pública para que les permitieran llegar hasta la Defensoría del Pueblo y entregar el documento.

Denuncian agresiones de la Guardia Nacional contra manifestantes

El 4 de septiembre de 2019 el portal Noticiero Digital reportó:

-Vecinos de la avenida Baralt, al oeste de la ciudad capital, denunciaron este miércoles que son agredidos por funcionarios de la Guardia Nacional, mientras los ciudadanos rechazaban en las calles la falta del suministro de agua potable en la zona.

El reporte añadió:

-Una oficial llegó con una actitud hostil, atropellando a los vecinos, a estar empujándonos y agrediéndonos, nosotros podemos hablar con ellos y abrir un canal, no nos vamos a dejar agredir, tenemos un mes sin agua, no puede ser que señoras mayores estén cargando agua, nosotros tenemos que cargar agua para comer, para lavar, tenemos niños, indicó un habitante de San José de Cotiza, al oeste de Caracas a TV Venezuela Noticias, al denunciar que funcionarios de la GN reprimen la protesta en la comunidad para exigir suministro de agua.

Mientras que otro ciudadano adicionó que "la oficial llegó con una actitud agresiva, y no creemos que esa sea la actitud violenta, no se puede imponer la autoridad por medios violentos, y tenemos más de un mes si agua, en otros sectores si hay agua y aquí no hay agua. Hay falta de recolección de basura, hay demasiadas moscas, zancudos y dengue, y demás cosas, producto de la falta de recolección de basura".

El informante dijo también a Noticiero Digital:

-Queremos agua, ayúdennos por favor, yo tengo derecho a reclamar, me dieron golpes, me golpeó la GN, primera vez en mi vida, con la bombona de gas es un lío, con el agua es un lío, queremos el agua y que nos ayuden, el gobierno no hace nada.

Dos heridos y catorce asfixiados ingresaron al Hospital Universitario

El 12 de marzo de 2014 El Nacional Web reportó:

-La emergencia del Hospital Universitario de Caracas recibió a 16 pacientes de emergencia, la mayoría con asfixia y dos con heridas producto de impacto de bombas lacrimógenas hechas directamente sobre el cuerpo de los jóvenes, informó Ricardo Strauss, residente de Medicina Interna en el centro de salud.

Uno de los heridos, un hombre de 22 años llegó con tres lesiones producto de impactos cercanos de bombas lacrimógenas sobre el tórax, boca y pecho. Lo están atendiendo médicos de cardiología y cirugía del tórax para evaluar el daño que tiene, dijo Strauss.

Otro joven recibió el impacto de una bomba lacrimógena en el rostro y están siendo atendidos en la unidad de otorrinolaringología.

Luego precisó:

-Strauss informó que la emergencia permanece abierta y el resto de los accesos fueron cerrados por seguridad mientras ocurría la refriega en la entrada de la UCV. Señaló que no hubo bombas lacrimógenas cerca del centro de salud y los jóvenes asfixiados ya fueron dados de alta.

Cabe indicar que el narcodictador Nicolás Maduro, en una de sus fastidiosas peroratas televisivas, había anunciado la drástica disminución de las manifestaciones en contra de los malos servicios de su cuestionado régimen de fuerza.

En Caracas, una concentración de mujeres opositoras fue impedida por el entonces alcalde Jorge Rodríguez de llegar al Ministerio de Alimentación, pero eventos similares se desarrollaron sin incidentes en Maracaibo, Valencia y San Cristóbal, entre otras.

La manifestación portaba carteles que rezaban "No hay, no hay, no hay... ¿hasta cuándo?" o "Si tenemos los mismos problemas por qué hay dos bandos?" y como fue frustrada optaron por retirarse pacíficamente del lugar entre una gran cacerolada con ollas vacías.

Según reconoció posteriormente Nicolás Maduro, en la protesta había alrededor de un millar de mujeres que "cacerolearon fuertísimo" durante unas horas en contra de la carestía y la escasez de productos.

Maduro igualmente reconoció que las protestas han sido diarias desde que el pasado 12 de febrero se celebró el Día de la Juventud, y han derivado en casos de violencia en 18 de los 335 municipios venezolanos-

-Hoy –subrayó- quedan 6 u 8 (focos violentos) en el país" porque la mayoría se han extinguido gracias a los propios vecinos.

Hasta mintiendo es malo el narcodictador porque los vecinos son los protagonistas de estos eventos cívicos porque sufre en carne propia los efectos siniestros de la escasez de alimentos

Por su parte, la entonces Defensora del Pueblo, Gabriela Ramírez, informó hoy de que la institución que encabeza ha contabilizado 21 fallecidos en hechos de violencia vinculados a las protestas según un "informe preliminar".

Y agregó:

-Diez de esas víctimas, precisó Ramírez, fueron tiroteadas en las "guarimbas" (barricadas) levantadas en las calles, modalidad de protesta rechazada por el Gobierno y la mayoría de los partidos opositores a Maduro.

Para esta funcionaria, convertida después en asilada en España, tras romper con el régimen al que servía sumisamente, "La trampa más letal han resultado ser precisamente las 'guarimbas", porque son "trampas para cazar seres humanos".

Gabriela Ramírez no dijo que esas guarimbas tuvieron como objetivo protegerse de los colectivos del terror. Sí señaló que su despacho ha recibido 44 denuncias de "violación a la integridad física", entre ellas casos presentados como tortura, todos los cuales, remarcó, "están siendo investigados por la presunta participación o actuación irregular de funcionarios uniformados del Estado". Igualmente reconoció que las protestas han obligado al "despliegue de 20.000 funcionarios de la Guardia Nacional en todo el territorio nacional". Pero no mencionó que la Constitución del país prohíbe el uso de fuerzas militares para el control del orden público y el empleo de gases lacrimógenos a los mismos fines.

La actuación de cuerpos represores de la narcodictadura, según Pinilla

Mano dura contra las manifestaciones de estudiantes, mujeres, trabajadores, etc., y mano de seda para los eventos similares del gobernante Partido Socialista Unido de Venezuela, malandros, narcotraficantes, depredadores del ambiente y guerrilleros colombianos afines a la narcodictadura es el modo como actúan los efectivos de la Guardia Nacional, Ejército y la Policía Nacional.

El 19 de junio de 2021 el caricaturista F.M Pinilla plasmó esa terrible realidad, en El Nacional en la caricatura que sigue, que denominó "Fuerzas de seguridad".

FUERZAS DE
"SEGURIDAD"
CONTRA MALANDROS
Y GUERRILLEROS...

Caricatura de @FMPinilla denominada "Fuerzas de Seguridad"

14 heridos por perdigón dejó manifestación en Altamira

El 23 de febrero de 2014 Últimas Noticias reportó:

-La plaza Altamira ha sido escenario de protestas desde hace 11 días continuos y este sábado en la tarde 25 personas resultaron heridas informó el alcalde de la localidad Ramón Muchacho. Detalló que 14 por heridas de perdigones, 9 con contusiones y dos por disnea por gases.

30 civiles muertos y 6 militares desde el 12F

El 26 de marzo de 2014 el periodista Eligio Rojas, de Últimas Noticias, dio cuenta del fallecimiento de treinta civiles y seis militares desde el 12 de febrero del mismo año, cuando la oposición inició una serie de protestas bajo el título de "La Salida", muchas de ellas derivadas en violentas. 25 son por disparos con armas de fuego. Además, se contabilizaban hasta el pasado martes 314 civiles heridos y 140 policías y militares.

Luego indicó que el entonces jefe del Comando Estratégico Operacional de la Fuerza Armada y luego ministro de la Defensa, Vladimir Padrino López dijo en Ciudad Bolívar que se estaba presencia de una "insurgencia subversiva armada".

-Entre las 36 víctimas –detalló- se encuentran 20 personas asesinadas en protestas violentas, 6 fallecidos al tropezar con barricadas colocadas en vías públicas, 3 asesinados en medio de esos obstáculos y 6 ultimados en otras circunstancias, según registros de ÚN basado en informaciones publicadas y comunicados oficiales.

Entre los civiles muertos hay 11 estudiantes, tres mototaxistas, tres obreros, dos amas de casa y un ingeniero. El listado incluye ocho funcionarios públicos: 6 guardias nacionales, un fiscal del Ministerio Público y una detective del SEBIN.

Las 35 personas fallecidas se distribuyen en nueve de las 24 entidades federales del país. Carabobo lidera la lista de muertos con 9, seguido de Miranda (7) y Táchira (6).

Por el total de fallecidos solo han capturado a 11 personas como presuntos responsables de cinco muertes, según el Ministerio Público. Se trata de los asesinatos de Bassil DaCosta (23) Juan Montoya (51) Asdrúbal Rodríguez (24), Glidis Chacón (25) y Alexis Martínez (58). También están tras las rejas 17 funcionarios por presuntas violaciones a los derechos humanos de acuerdo con lo informado desde el Ministerio Público. Y como supuestos responsables de los asesinatos de los guardias nacionales no hay detenidos hasta ahora.

> *Uno de los asesinos de Bassil DaCosta, Jonathan José Rodríguez Duarte, era escolta del entonces ministro del Interior y Justicia, Miguel Rodríguez Torres. La titular de ese ministerio, Carmen Teresa Meléndez Rivas, lo condecoró con la Orden Francisco de Miranda en Tercera Clase. Otro acusado, Andry Jaspe, murió durante la madrugada del 5 de marzo de 2022 en un accidente de tránsito en la avenida Carabobo de San Cristóbal, Estado Táchira, según información emitida por El Nacional*

Rojas apuntó más adelante:

-Entre los civiles muertos hay 11 estudiantes, tres mototaxistas, tres obreros, dos amas de casa y un ingeniero. El listado incluye ocho funcionarios públicos: 6 guardias nacionales, un fiscal del Ministerio Público y una detective del SEBIN.

Las 35 personas fallecidas se distribuyen en nueve de las 24 entidades federales del país. Carabobo lidera la lista de muertos con 9, seguido de Miranda (7) y Táchira (6).

Igualmente indicó que entre los fallecidos hubo 11 estudiantes 8 funcionarios públicos y 17 trabajadores en diversas áreas.

Las víctimas fueron:

-Bassil DaCosta, Juan Montoya y Roberto Redman, estudiantes, el día 12; José Méndez, estudiante, el día 17; Génesis Carmona, estudiante, y Julio González, fiscal, el 19; Arturo Martínez, Asdrúbal Rodríguez y Julio González, sin información de oficio, el 20; Dorys Lobo, ama de casa, y Elvys Durán, ayudante de almacén, el 21; Geraldine Moreno, estudiante, y Danny Melgarejo, estudiante, el 22; José Márquez, ingeniero, el 23; Jimmy Vargas, estudiante, y Willmer Carballo, comerciante, el 24; Joan Quintero, sin información de oficio, el 25; Eduardo Anzola, motorizado, el 26; Giovanni Pantoja, sargento de la Guardia Nacional, el 28, todos en febrero; Luis A. Gutiérrez, estudiante, el 4 de marzo; Acner López, sargento de la Guardia Nacional, y José Amaris, mototaxista, el 6 de marzo; Glidis Chacón, efectivo del SEBIN, y Jhoan Pineda, mototaxista, el 7 de marzo; Gissele Rubilar, estudiante, el 8 de marzo; Edicson Tinoco, estudiante, el 10 de marzo; Angelo Vargas, estudiante, el 11 de marzo; Jesús Acosta, estudiante, Guillermo Sánchez, comerciante, y Ramso Bracho, capitán de la Guardia Nacional, el 12 de marzo; José Guillén, capitán de la Guardia Nacional, el 17 de marzo; Anthony Rojas, estudiante, y Francisco Madrid, obrero, el 18 de marzo; Jhon Castillo, sargento de la Guardia Nacional, el 9 de marzo; Wilfredo Jaimes, transportista, el 21 de marzo; Argenis Hernández, comerciante, y Jesús Labrador, cooperativista, el día siguiente; Adriana Urquiola, intérprete de señas, el 23 de marzo, y Miguel A. Parra, sargento de la Guardia Nacional, el día siguiente.

El 19 de febrero de 2021 Raúl C., del portal El Diario, al cumplirse siete años del asesinato impune de Génesis Carmona, escribió sobre ese crimen:

-Francisco Ameliach, entonces gobernador del Estado Carabobo, llamó a preparar un "ataque fulminante" del chavismo para extinguir las protestas estudiantiles de ese año. Días después, fue asesinada en esa entidad la estudiante de Marketing y modelo a manos de colectivos

-Génesis Carmona tenía 22 años cuando recibió un disparo en la cabeza. Participaba en una protesta estudiantil contra el régimen de Nicolás Maduro en Valencia, Estado Carabobo, cuando colectivos –fuerzas armadas civiles adeptas al chavismo– atacaron con tiros a los manifestantes. Ella cayó al suelo en la avenida Cedeño. Un motorizado la llevó en sus brazos hasta la clínica Doctor Rafael Guerra Méndez. La fotografía de aquel momento ya se inmortalizó. Era 18 de febrero de 2014. No pudieron extraerle la bala de su cerebro y falleció un día después en el centro médico. Siete años después, su caso sigue impune.

Aquella fue la primera y última manifestación a la que acudió Génesis. Sus familiares y amigos, quienes asistieron con ella a la protesta, narraron la secuencia de los hechos a distintos medios y organizaciones. Algunos de ellos explicaron a Amnistía Internacional que la marcha se desarrollaba pacíficamente con un cordón de la Guardia Nacional... que precedía a los manifestantes. En un momento, los guardias se habrían apartado para dar paso a los colectivos que posteriormente dispararon, según la versión de la ONG (sic).

El periodista añadió:

-Erica Rodríguez, una de las amigas de la joven de 22 años, contó para Daily Mail cómo fueron los hechos. "Fue un momento confuso, intentaba reagruparse con su madre y sus hermanos, todos estaban allí manifestándose, pero se habían separado. Cuando empieza el caos, le dice a su mamá que no ve a su hermana, a Alejandra Carmona, y cuando regresó a buscarla, cayó al piso. Así simplemente», dijo.

Otro relato, el de su amigo Héctor Rotunda, confirma la responsabilidad de los colectivos y la complicidad de la GN en el asesinato de Génesis.

-Cuando nos dimos cuenta, ella estaba en el piso. La revisamos. Las amigas y la hermana pensaron que estaba desmayada, nunca pensaron lo peor", escribió en Twitter. Luego añadió: "¡Móntala, le dieron!, gritó el pana que se la llevó en la moto cargada. Yo me fui atrás. Nos estaban disparando a matar". "Quienes nos estaban disparando eran grupos armados del gobierno, indignante ver que la GNB no hizo NADA", manifestó el amigo.

A continuación, indicó:

-Rotunda llegó a la clínica con la familia de Génesis. Ellos eran cercanos. Según comentó a Radio Cope, la había conocido cuatro años antes en varios castings de modelaje, fotos de publicidades, de diseñadores. Era modelo y había sido electa Miss Turismo Carabobo cuando tenía 21 años. Fue precandidata al Miss Venezuela en el 2010. Estudiaba Marketing. "Era súper talentosa, responsable y muy emprendedora", recordó.

Cuando llegó a la clínica Doctor Rafael Guerra Méndez, Génesis estaba consciente, movía brazos y piernas, tenía los ojos entreabiertos y trataba de responder a los llamados que hacían los amigos y familiares. Los médicos no podían extraer la bala; estaba en una zona muy delicada de la cabeza. Carlos Rosales, médico jefe de la Unidad de Cuidados Intensivos del centro médico, fue el encargado de confirmar la muerte de la joven el 19 de febrero a las 12:15 pm, un día después de la protesta.

Rosales informó que el proyectil quedó en el cerebro de la joven, y causó daño encefálico con sangrado profundo. "En caso de que Génesis Carmona hubiera sobrevivido habría perdido la visión", explicó.

Y como era de esperarse la propagan de la narcodictadura dio su propia versión del asesinato.

En efecto, el periodista de El Diario apuntó:

-A pesar de los testimonios, el régimen de Maduro dio otra versión del caso. En rueda de prensa, el para entonces ministro de Interior, Miguel Rodríguez Torres, aseguró que el tiro provino de otro de los manifestantes.

"Esa muchacha murió por una bala que salió de sus propias filas y es lamentable que lleguemos a estos extremos de violencia", indicó Rodríguez Torres. Agregó que "ya hay testigos que así lo señalan, testigos de la misma agrupación con la que ella andaba que la conoce y que indudablemente son seres humanos y deben tener mucho dolor por la muerte de su compañera".

Ese vocero de la mentira, era a la fecha de redacción de este texto, 7 de febrero de 2022, prisionero del narcodictador Nicolás Maduro, a quien exculpó de la muerte de Génesis Carmona y quien apagaba cada candelita que se encendía en contra del régimen. La sabiduría popular sentencia que así paga el Diablo.

Luego aseguró:

-Integrantes del régimen ya habían avisado de la represión "fulminante" que preparaban contra los manifestantes. Días antes del asesinato de Génesis Carmona, el entonces gobernador del Estado Carabobo, Francisco Ameliach –un exoficial del ejército, varias veces jefe de campaña del fallecido ... Hugo Chávez e integrante del Partido Socialista Unido de Venezuela–, había convocado a los grupos de base adeptos al oficialismo a llevar a cabo una "contraofensiva fulminante" para extinguir las protestas opositoras.

Maduro eludió la responsabilidad de la represión de las fuerzas de seguridad que él dirige y de sus adeptos. En cadena nacional, lamentó la muerte de Génesis y afirmó que abrirían unas investigaciones para dar con los culpables. "Tenía toda una vida por delante, no merecía morir", dijo el jerarca del chavismo.

En efecto, se abrió un proceso judicial. Tras las investigaciones realizadas por el Ministerio Público, en el año 2015 acusaron al ciudadano Juan Masa Seijas como cómplice de homicidio intencional de Génesis, y se habría librado una orden internacional de captura contra otra persona, aunque hasta ahora no se han dado detalles sobre si se tratase o no del autor material del homicidio. Masa era estudiante de Economía de la Universidad de Carabobo y dirigente juvenil del PSUV. Ya había sido aprehendido el 1° de abril de 2014 frente a su residencia en Valencia.

Por el caso, al acusado se le dictó medida cautelar de presentación cada 15 días en la instancia judicial. Así lo autorizó el Tribunal 36 de Control de Caracas.

Nada sorprendente que por un asesinato la mal llamada justicia de la narcodictadura beneficie al criminal con medidas beneficiosas no contempladas en las leyes penales

¿Qué molesto a la dictadura?

El miércoles 2 de abril de 2014 el columnista Alexander Cambero, de El Universal, se preguntó: "¿Qué molestó a la dictadura?", refiriendo al respecto:

-La dictadura corroe la poca democracia que nos queda. Para regímenes tiránicos silenciar la voz disidente es un recurso de quienes buscan la perpetuidad de en el poder. La morbosidad de sus actuaciones siempre encuentra un obstáculo en las leyes de la república. Con astucia la burlan hasta desacreditada bajo el estruendo de la represión que va convirtiendo la vida en un festín de horrores. La Constitución se convierte entonces en un instrumento inútil. Un zurcido de párrafos emperifollados con el equilibrio jurídico, pero que no funcionan cuando gobierna la tiranía analfabeta. La Carta Magna reducida al triste papel de testigo con la lengua trabada y las manos atadas. Cuando el totalitarismo acciona sólo entiende el lenguaje de la violencia. Estorba todo aquel que defiende principios democráticos. Sólo existe la historia oficial que siembran sobre el cadáver de la libertad.

Ya hemos hecho referencia a las relaciones incestuosas mantenidas con la Constitución Nacional por el padre de la criatura, el teniente coronel (retirado) Hugo Chávez, que la llamaba peyorativamente "La Bicha" y mandó a echarle a los manifestantes gas del bueno, a pesar de su prohibición, y su pupilo, el narcodictador Nicolás Maduro, responsable de la militarización del control de las manifestaciones mediante la Resolución 8610 emanada del Ministerio de la Defensa y el Plan Zamora, Plan Ávila con otro nombre, surgido del mismo despacho ministerial, causantes de muertes, inutilización de manifestantes por el uso del gas lacrimógeno directamente al rosto de la víctima u otras partes sensibles de los cuerpos de las víctimas, allanamientos de viviendas y sedes hospitalarias, etc.

Después escribió:

-En Venezuela la valerosa presencia estudiantil en las calles los desenmascaró, hizo que el planeta conociese la verdad de lo que ocurre en la patria ultrajada. Al quedar al descubierto como auténticos impostores se lanzaron en contra de todo aquel que sueña con vivir en democracia. Para un proceso que duró más de una década maquillando nuestras realidades en los escenarios internacionales, es sumamente costoso dejar que se noten las costuras de una administración absolutamente paleontológica. Un espécimen de la era prehistórica, que encuentra placer haciendo daño.

Hugo Chávez se encargó de construir no solo un proyecto político de largo alcance sino una especie de relevo generacional para la menguada imagen del totalitarismo internacional. Siempre encontró la manera de ocultar lo que acontecía en la casa, para ello compraron gobiernos con la renta petrolera, crearon medios de comunicación mientras dinamitaban a otros. El plan siempre estuvo marcado por mantener una imagen de paz en Venezuela. Cuando se inicia esta rebelión social y caen las caretas arden en cólera ya que sus argumentos son aplastados por una realidad que horroriza al mundo, es tan grave la situación que muchos de sus aliados han mantenido cierta distancia para no salir salpicados. Se han cuidado de aparecer como cómplices del gorilato.

Al final apuntó:

-La arremetida brutal tiene dos orientaciones. La primera es tratar de mantenerse en el poder al precio que sea, y la segunda vengarse de aquellos que hicieron que la imagen internacional del régimen quedara deteriorada. Con la correspondiente mancha imborrable en el testamento imaginario del legado de su comandante eterno. Su revolución bañada en sangre, mostrada al mundo tal como es: un proceso decadente en donde las peores cosas suelen ocurrir...

Vecinos de un sector de Catia toman la calle

Catia, en Caracas, fue considerada un bastión chavista, condición política que perdió debido a la represión de los cuerpos policiales, la Guardia Nacional y los círculos del terror alimentados con recursos del país para penetrar las manifestaciones de los sectores democráticos y crear violencia.

El miércoles 2 de abril de 2014 Julio Materano, de El Universal, reseñó:

-En Catia, vecinos de la urbanización Simón Bolívar, adyacente a los talleres del Metro de Caracas en Propatria, relataron con temor que un nutrido grupo de motorizados ingresó al conjunto residencial, con megáfonos en manos, advirtiendo a quienes se asomaban desde sus ventanas que estaban preparados "para la guerra" si alguna persona se atrevía a tomar las calles de la zona para manifestar su descontento con el Gobierno.

El hecho ocurrió cerca de las 8:00 p.m. del lunes, cuando presuntos miembros del colectivo Tupamaro, ingresaron al lugar para amedrentar a quienes se atrevieran a tocar cacerolas.

Grupo violento defendido públicamente por el narcodictador Nicolás Maduro

Una de las vecinas, Dalila García, le explicó al periodista:

-Al principio lanzaron cohetes y fuegos artificiales, pero luego exhibieron sus armas para asustarnos.

La fuente agregó que, tras el acecho de los motorizados, algunas familias decidieron salir a todo riesgo, para protestar de manera pacífica a la altura de la avenida Bolívar.

Otra vecina no identificada por seguridad señaló:

-En Catia padecemos las consecuencias del desabastecimiento y la inseguridad, pero permanecemos callados por las amenazas de los colectivos.

Materán apuntó asimismo que "Los residentes señalan que no es la primera vez que grupos de motorizados penetran el recinto privado para rayar las paredes con mensajes violentos". Y "Destacaron que, con la arremetida del lunes, suman tres las reprimendas de los supuestos paramilitares durante el mes de marzo".

Por lo tanto, "Ante esa situación, que además añaden a la precariedad de los servicios públicos, los habitantes convocan a los 30 bloques de la comunidad a una asamblea que realizarán el próximo jueves en horas de la tarde, con la intención de discutir la situación que, a juicio de los vecinos, ha coartado el derecho a la protesta.

Las apariencias ya no engañan a nadie

El miércoles 2 de abril de 2014 el columnista José Luis Méndez La Fuente escribió en el diario El Universal:

-Uno de los argumentos más utilizados por el gobierno, durante todos estos años, para acallar las críticas que lo acusan de ilegitimidad, totalitarismo, monopolio de las instituciones del Estado y ser, en definitiva, un régimen dictatorial con apariencia democrática, de más contundencia y mayor impacto en la opinión pública, que deja a muchos sin respuesta, es el del origen electoral de los cuatro gobiernos chavistas habidos hasta ahora, además de todos los otros procesos comiciales municipales, legislativos y referéndums en general, ganados hasta ahora, unos veinte en total.

Luego indicó:

-Es un hecho conocido y más que comprobado que el fenómeno de la globalización a que nos ha llevado el desarrollo la tecnología en la comunicación de masas puede convertir una simple imagen o una frase cualquiera en un mensaje que toca el subconsciente o impacta directamente a millones de personas, y hacer que una opinión, una creencia, o lo que se consideraba una verdad indiscutible, se transforme en algo radicalmente distinto.

Durante las protestas estudiantiles y manifestaciones populares de estos dos últimos meses en Venezuela, no obstante la autocensura imperante en muchos medios de comunicación, miles de fotografías y videos tomados por la propia ciudadanía, que recogen la desproporcionada y salvaje violencia empleada por la fuerza pública principalmente contra estudiantesy mujeres, que no estaban ni encapuchados, ni armados, ni ejerciendo alguna acción violenta contra otras personas, policías o bienes, le han dado la vuelta al mundo. Son testimonios que dejan huella profunda en el receptor, sin importar su ideología o posición política, venga de UNASUR o de la China, sea de izquierda o de derecha y que, de alguna manera, aunque no tengan una repercusión política inmediata, motivan una opinión interior y remueven la conciencia en la mayoría de los casos. Esta conciencia individual, aunque parezca insignificante, puede mover montañas cuando se une una con otra, en cosa de instantes, para conformar sin proponérselo, una enorme, inconmensurable conciencia colectiva de dimensión internacional.

Después precisó:

-Pero cuando esto ocurre, y es un hecho que en el mundo exterior la imagen del gobierno de Maduro como la del chavismo que arrastra con él, han quedado marcadas con el estigma del autoritarismo arbitrario y represivo, el resto de la policromía democrática que se desprendía del mero suceso electoral como sinónimo de legitimidad y autenticidad se empieza igualmente a resquebrajar. Ya no hay una variedad de colores en el espectro democrático, por el contrario, ahora el régimen de Maduro se puede ver en blanco y negro, tal como es.

> *La narcodictadura es un régimen que para mantenerse en el poder y garantizar así su impunidad internacional por delitos de narcotráfico y de lesa humanidad, recurre a actos de violencia de todo género, como la tortura en las más variadas y abominables formas, el acoso y hostigamiento de periodistas, políticos, sindicalistas, trabajadores, pensionados del Seguro Social, asociación con factores guerrilleros colombianos, limpieza social en los barrios pobres mediante los crímenes cometidos por efectivos de la siniestra FAES, como lo reconoció el propio narcodictador, asesinatos, en enfrentamientos de los cuerpos policiales y guardias nacionales con presuntos delincuentes, etc.*

A continuación, Méndez La Fuente asentó:

-Si se tiene ahora como cierto, en la opinión pública, que este gobierno ha cometido abusos y violación de derechos contra parte de la sociedad civil por simplemente mostrar su descontento y desaprobación a sus políticas socioeconómicas, entonces poner en tela de juicio otras actuaciones gubernamentales que han llevado a la cárcel a buena parte de la dirigencia de los partidos políticos de la oposición, que en el sector económico han conducido al desabastecimiento de la población o que en plano electoral han permitido al gobierno ganar todas la elecciones presidenciales, es igualmente posible y valido. Es una especie de reacción en cadena de la opinión pública, que apunta no sólo a la presidencia de Maduro en el último año, sino a todos los gobiernos de los catorce anteriores. Las apariencias de gobierno democrático ya no engañan a nadie.

El gobierno puede seguir haciendo todo tan mal como hasta ahora, puede incluso repetir las mismas estrategias y acentuar sus controles sobre los diferentes sectores de la población con fines electorales. Puede incluso seguir hablando de imperialismo, burguesía, infiltrados, saboteadores, golpes de estado, magnicidios, acaparamiento y guerra mediática para justificar sus errores y mala praxis, aunque ya hoy en día dicho lenguaje no tenga ningún sentido; sobre todo ahora, que la atención internacional está puesta sobre Venezuela.

Y concluyó señalando:

-Cada día que transcurre, alguien en algún lado se voltea para mirar hacia Venezuela. Hasta los congresistas norteamericanos, tan ocupados en los problemas de otras latitudes están empezando a reaccionar, como ya lo han hecho otros de la Unión Europea, ante lo que ya califican de dictadura.

Eso no significa que vayan a darse rectificaciones o cambios políticos de inmediato. Pero algo es seguro, cualquier cosa que hagan en el gobierno de Maduro ya no pasará desapercibida como hasta ahora.

Residentes no resisten más balaceras

El miércoles 2 de abril de 2014 las periodistas Mayerling Fajardo y Johana Rodríguez, de El Universal, reseñaron:

-Los Teques. - Tras tres ataques armados en menos de un mes, dejando el último saldo fatídico con la muerte de la intérprete de señas Adriana Urquiola, los vecinos de Los Nuevos Teques han decidido replantear su manera de protestar.

Y agregaron que José Alejandro Cabrera, miembro activo de la comunidad que ha participado en todas las acciones de calle pacíficas de la urbanización capitalina, expresó que no está pensado el abandono de las calles, pero sí se ha la manera de hacer las cosas para no incitar a más violencia,

Esta fuente informó además que una de las prácticas que han decidido erradicar es la colocación de barricadas.

-La primera decisión tomada en la asamblea ciudadana tras el asesinato de la trabajadora de Venevisión que estaba embarazada –acotó también- fue limpiar por nuestros medios los escombros que habían sido colocados en las diversas rutas de la comunidad.

Decidimos que si lo que estamos exigiendo es paz, debemos tomar vías alternas para evitar ataques como los sufridos el 25 de febrero, cuando colectivos de Brisas de Oriente accionaron sus armas de fuego contra los manifestantes; el 10 de marzo cuando motorizados dispararon hacia la multitud y más recientemente el 23 de marzo cuando fue alcanzada por una bala Adriana.

Cabrera dijo asimismo que igualmente está pensado mantenerse los fines de semana en la redoma ubicada frente al centro comercial Los Nuevos

Teques.

-El llamado –manifestó- es a protestar de manera creativa, por lo que estaremos colocándonos con inmensas banderas que estamos elaborando en la comunidad".

Más adelante refirieron que la medida es avalada por el Movimiento Cívico Estudiantil Francisco de Miranda, que ha reiterado a través de uno de sus representantes, Omar Baute, que sólo se apoyarán acciones que no generen caos ni pongan en peligro la vida de las personas.

En efecto, relató, "Un buen ejemplo de lo que venimos aplicando es la vigilia realizada tras la muerte de Adriana y la concentración que se llevó en paz este sábado también en la redoma para repudiar este hecho que conmovió a la comunidad alto-mirandina y que ha destapado otra olla podrida del Gobierno.

La Guardia Nacional disparó casi 400 bombas sobre Terrazas del Avila y barrios de Petare

El miércoles 2 de abril de 2014 la periodista Elisa Vásquez, de El Universal, reportó:

-La represión de una protesta por falta de agua en los sectores populares de La Parrilla y Alcabala, en el municipio Sucre, fue el detonante para que vecinos de esa zona y de Terrazas del Ávila encontraran que en sus exigencias hay puntos en común.

El lunes a las 6:00 pm., después de mes y medio sin agua, un grupo de casi 60 personas decidió quemar cauchos y cerrar el paso en un tramo de la carretera Petare-Guarenas, a la altura del Centro de Diagnóstico Integral (CDI) La Urbina. Una vecina de Terrazas del Ávila se unió a la manifestación, y la incorporación a la protesta de más habitantes de esa urbanización ocasionó en la Guardia Nacional "un cambio de actitud", según define José Antonio García, presidente de la Asociación de Vecinos de Terrazas del Ávila.

Elisa Vásquez continuó:

-Carolina González, habitante de Alcabala, asegura que los funcionarios de la GN dijeron que no agredirían a una manifestación del barrio, pero cuando las personas de Terrazas pasaron a ser partícipes, con groserías aseguraron que les iban a "meter duro", e inclusive hicieron amenazas de muerte, según relata.

Por su parte el anteriormente citado José Antonio García cuenta que los vecinos de la urbanización se encontraban en una asamblea dentro del sector, en la cual estuvo el dirigente estudiantil Julio "Coco" Jiménez. Tras conocer de la manifestación en la autopista, decidieron bajar a la entrada de Terrazas, donde dieron espacio a los dirigentes de las zonas populares para que contaran los motivos de su protesta. "Nosotros también tenemos un mes y medio sin recibir agua constante. A nosotros nos dicen que es culpa de HIDROCAPITAL que manda el agua para el barrio y a ellos les dicen que es culpa del Instituto Municipal de Aguas de Sucre (IMAS) que la manda a zonas de clase media. Nos dimos cuenta de que nuestros problemas son los mismos, y que el hecho de que nos unamos molesta al poder".

-Para García –escribió la periodista más adelante- las colas en los supermercados del sector (ya sea el Bicentenario o el Plaza's) afectan por igual a los vecinos. También la inseguridad y lo que llaman la "destrucción de la familia". De un lado de la autopista los hijos se van del país huyendo de la inseguridad, pero del otro son amenazados constantemente o incluso asesinados para robarlos o cobrarles algún desacuerdo.

El grupo permaneció junto casi hasta las 12:00 am., del martes, a pesar de que la arremetida de la Guardia Nacional se inició cerca de las 8:00 pm. Los funcionarios dispararon aproximadamente 400 dispositivos a la urbanización, entre bombas lacrimógenas y perdigones. De la descarga resultaron heridas dos personas de tercera edad a quienes les cayeron bombas en la cabeza. También se denunció la instalación de un equipo de música de alto volumen en la entrada del abasto Bicentenario.

Por otro lado, la anteriormente citada Carolina González reveló que el amedrentamiento de consejos y juntas comunales en los barrios impiden que más personas de las zonas salgan a protestar.

-Nos dicen –explicó- que miremos los periódicos y que veamos lo que le pasa a la gente que sale a la calle.

Al final, la periodista apuntó que la represión unió a los vecinos.

La Guardia Nacional impidió que María Corina Machado llegara al Parlamento

La Guardia Nacional, instalada en la esquina de Pajaritos le impidió a María Corina Machado llegar al parlamento y los jóvenes que la apoyaron resistieron los gases lacrimógenos y perdigones por más de cuatro horas.

Así lo informó el diario El Nacional el miércoles 2 de abril de 2014, agregando:

-9 minutos. Ese fue el tiempo que tomó desde que María Corina Machado dijo que iría a la Asamblea Nacional y pidió que la acompañaran, hasta el momento en que se escucharon las dos primeras detonaciones de bombas lacrimógenas para dispersar a los manifestantes en la plaza Brión de Chacaíto. La represión duró mucho más: cuatro horas después, quienes protestaban en rechazo por la destitución de Machado de la AN, aún resistían en varios puntos de Caracas.

Los manifestantes se replegaron hacia la avenida principal de Las Mercedes y hacia la avenida Francisco de Miranda. La PNB no discriminó. Varios jóvenes tuvieron que cargar a una mujer mayor que usaba una andadera para caminar, porque se asfixió con los gases, que no cesaron nunca en esas cuatro horas.

Posteriormente apuntó:

-La Francisco de Miranda fue un campo de batalla; todas las rutas al oeste estaban custodiadas. Dos ballenas, cientos de bombas lacrimógenas, y decenas de funcionarios de la PN y de la GN se mantuvieron disparando perdigones y gases a cientos de jóvenes que lograban devolver algunas y se protegían con escudos de láminas de zinc. Varios de ellos y algunos PN resultaron heridos.

Los manifestantes se replegaron hacia Chacao y Altamira. Un grupo de encapuchados lanzó piedras y bombas molotov contra el Ministerio de Vivienda en Chacao; había fuego en una oficina del piso 1.

Por otro lado, en referencia a su destitución como parlamentaria por parte de la Asamblea Nacional chavista, María Corina Machado expresó:

-Con esta acción se descalabra la República.

De igual modo, invitó a las personas a concentrarse el viernes en el Palacio de Justicia y exigió la recomposición total de los poderes públicos, especialmente el CNE: "Será por la vía electoral, en elecciones limpias y justas, como sustituiremos a este régimen", expresó antes de ser afectada también por los gases.

Senadores mejicanos del PAN condenaron persecución a opositores en Venezuela

El 2 de abril de 2014 el diario 2001, con información de la agencia de noticias EFE, reportó:

-Senadores del conservador Partido Acción Nacional (PAN) de México condenaron "la persecución que se ha dado contra los integrantes de la oposición" en Venezuela, y anunciaron que promoverán una misión internacional para analizar "la situación que prevalece actualmente en la nación suramericana".

Y agregó:

-Después de manifestar su preocupación por los constantes y sistemáticos ataques a la democracia parlamentaria en la República Bolivariana de Venezuela, senadores del PAN se solidarizaron con los legisladores cuyos derechos han sido vulnerados", indicó un boletín de la oficina de la presidenta de la Comisión de Relaciones Exteriores América Latina y el Caribe, Mariana Gómez del Campo.

Asimismo, "exigieron al presidente de la Asamblea Nacional (de Venezuela, Diosdado Cabello) terminar con los atropellos a los derechos y dignidad de personas".

En el boletín emitido al respecto los senadores mexicanos Mariana Gómez del Campo, María del Pilar Ortega, Luisa María Calderón, Laura Rojas Hernández, Ernesto Ruffo, Francisco Salvador López y Francisco de Paula Búrquez, encabezados por su coordinador de bancada, Jorge Luis Preciado, condenaron "la persecución" contra miembros de la oposición venezolana.

Luego citaron el caso de los entonces alcaldes Daniel Ceballos y Enzo Scarano, "quienes se encuentran presos; y la situación que vive Leopoldo López, quien lleva quien para la fecha llevaba 42 días en una cárcel militar, o el caso de la diputada María Corina Machado, a quien virtualmente han destituido de su cargo como representante popular por hablar frente a la OEA sobre la situación en Venezuela".

En este último caso, expuso Gómez del Campo, el argumento de Cabello para la destitución fue el uso por parte de la legisladora venezolana de la figura de "embajador alterno" de la delegación de Panamá, que a su juicio "es una incongruencia porque fue precisamente el mismo esquema que empleó Venezuela en 2009 para ceder su espacio a la excanciller hondureña Patricia Rodas para que pudiera relatar el golpe de Estado contra Manuel Zelaya ante la Organización de Estados Americanos (OEA)."

La represión al desnudo

El 2 de abril de 2014 Yordys Méndez, de TalCual, reportó:

-Amnistía Internacional mostró documentación con testimonios de víctimas en las protestas antigubernamentales y se muestran preocupados por los llamados de Maduro y de Diosdado Cabello a grupos chavistas para que enfrenten las manifestaciones. Uso excesivo de la fuerza, torturas y tratos "degradantes e inhumanos" fueron algunas de las denuncias

Amnistía Internacional (AI), presentó este martes un informe donde emiten "decenas de denuncias" recibidas con respecto a los hechos ocurridos en Venezuela desde el pasado 4 de febrero, día en que iniciaron las protestas en el país.

Yordys Méndez agregó:

-El informe en cuestión ofrece una serie de datos que recibió la ONG por parte de familias venezolanas víctimas de la represión. Las violaciones de Derechos Humanos recogidas en el informe de AI abarcan desde el uso excesivo de la fuerza durante las protestas, por parte de las fuerzas de represión, hasta "torturas, tratos degradantes" y agresiones contra periodistas y medios de comunicación.

En palabras más palabras menos, Amnistía Internacional menciona la participación de la Fiscal Luisa Ortega Díaz y de la Defensora del Pueblo, quienes aportaron datos a dicha institución. Además, expresan que Ortega Díaz alegó que el Ministerio Público se encuentra investigando solo 42 casos.

De acuerdo con datos registrados por el Ministerio Público, 2.158 personas han sido detenidas. Los antecedentes obtenidos por AI indican que estas fueron capturadas sin orden de aprehensión y sin encontrarse cometiendo ningún delito (en flagrancia), sino cuando se encontraban alejándose del lugar o en zonas aledañas a las mismas.

Incluso en algunas actas policiales, indicaron que las detenciones se llevaron a cabo porque los funcionarios "presumieron" que se iban a cometer los delitos que posteriormente se les imputaban a los detenidos, y no porque estos hayan sido sorprendidos cometiendo el delito, tal como lo autoriza la ley.

Luego destacó:

-A la lista de denuncias se suman los allanamientos que han realizado las fuerzas militares y policiales en viviendas ubicadas cerca de las barricadas, para llevar a cabo detenciones sin tener a mano una orden judicial.

Durante la presentación en Madrid del informe que lleva por nombre "Venezuela: Los Derechos Humanos en riesgo en medio de las protestas", la organización señaló como uno de los elementos de esa violencia, el gran número de armas de fuego con que cuenta la población e instó al Gobierno a tomar acciones para reducir el número de estas, y apostaron a que "el diálogo podría ser la única solución" a la situación en Venezuela y a su vez plantean que se debe crear un Plan Nacional de Derechos Humanos.

Precisó además que la actuación de Nicolás Maduro, y del presidente de la

Asamblea Nacional, Diosdado Cabello es preocupante, debido a que instaron a la población que apoya la gestión del gobierno a salir a las calles y parar las protestas y barricadas, situación que generó más violencia en el país.

-La organización afirma –apuntó también- que en investigaciones llevadas a cabo en la nación lograron "evidenciar la dificultad de identificar responsabilidades en un contexto de polarización política y social como el que vive el país".

Piden que se fortalezca el sistema judicial y que se proteja el derecho de todos los detenidos a tener un debido proceso, Además, hace un llamado a Venezuela para que revoque su denuncia a la Convención Americana de Derechos Humanos, y que así, ésta regrese a la jurisdicción de la Corte Interamericana de Derechos Humanos.

¿Qué se puede esperar de un Tribunal Supremo de Justicia presido por un ex convicto de homicidio?

Luego escribió:

-Con respecto a las torturas Amnistía Internacional indica haber recibido decenas de denuncias sobre estas, entre otros tratos "crueles inhumanos y degradantes" por parte de oficiales de las fuerzas del orden contra detenidos.

Tales agresiones se habrían llevado a cabo en el momento de la detención, durante el traslado y en el centro de detención. Entre las denuncias que recibieron, se incluyen casos de palizas por parte de funcionarios de las fuerzas del orden, con puños, patadas y con objetos contundentes, como cascos, incluso cuando la persona se encontraba restringida en el suelo en el momento de la detención.

En relación con los detenidos indica que recibió declaraciones de víctimas que alegan haber sido obligados a permanecer de rodillas o de pie durante largas horas en los centros de detención, abusos sexuales o amenazas de violación contra jóvenes detenidos. También incluyeron casos de amenazas de muerte y resaltaron el caso de un joven que habría sido roseado con gasolina.

Herido el presidente del Centro de Estudiantes de la UNIMAR

El 1 de abril de 2014 la periodista Marianela Peñate, reportó:

-El presidente del Centro de Estudiantes de la Universidad de Margarita, Filippo Sevillano, recibió un tiro en la cabeza, cuando se encontraba junto con otros compañeros entregando volantes frente al semáforo de Rattan Plaza, pasadas las siete de la noche de este martes.

La periodista agregó que la víctima, estudiante de Derecho, donde se le sometió a una operación quirúrgica.

-A la clínica –apuntó- se acercaron estudiantes y profesores de varias universidades, dirigentes políticos, concejales, además de abogados del Foro Penal Venezolano capítulo Nueva Esparta. Rezaron un padrenuestro para pedir por la salud de Sevillano, quien es secretario juvenil regional de Acción Democrática.

Antonieta Rosales de Oxford, secretaria general de la UNIMAR, pasadas las nueve de la noche dijo que el joven estaba siendo intervenido, y un doctor les informó que en el quirófano el joven movió brazos y piernas.

Marinellys Silva, amiga de Filippo, comentó que estaban entregando volantes, cuando de pronto el conductor de un Nissan color blanco aceleró el carro e iba a atropellar a unos muchachos. Estos, al ver la situación, respondieron con objetos. El conductor al parecer se bajó del carro y respondió con tiros. Uno de los proyectiles alcanzó la humanidad de Sevillano. "No teníamos barricadas, ni nada. Solo entregábamos volantes".

Sobre ese caso Globovisión reseñó que a solicitud del Ministerio Público fue privado de libertad Jean Carlos Kilzi (29), quien fue detenido por presuntamente disparar contra un grupo de manifestantes, hecho durante el cual resultó herido el presidente del centro de estudiantes de la Universidad de Margarita (UNIMAR), Filipo Sevillano (22).

La fuente apuntó además que el hecho ocurrió el martes 1 de abril, en la avenida Jóvito Villalba del Municipio Maneiro de la Isla de Margarita. -En la audiencia de presentación, -reseñó- el fiscal 10° del Estado Nueva Esparta, Jesús Marcano, imputó al hombre por presuntamente incurrir en el delito de homicidio calificado en grado de frustración, previsto y sancionado en el Código Penal.

La fuente apuntó además que el hecho ocurrió el martes 1 de abril, en la avenida Jóvito Villalba del Municipio Maneiro de la Isla de Margarita.-En la audiencia de presentación, -reseñó- el fiscal 10° del Estado Nueva Esparta, Jesús Marcano, imputó al hombre por presuntamente incurrir en el delito de homicidio calificado en grado de frustración, previsto y sancionado en el Código Penal.

Sin embargo, el Tribunal 3º de Control de Nueva Esparta cambió la precalificación fiscal por el delito de lesiones graves, y dictó la medida privativa de libertad contra Kilzi, quien permanecerá recluido en la sede de la Policía Municipal de Macanao.

Luego precisó:

-De acuerdo con la investigación preliminar, el citado día, en horas de la noche, Kilzi habría efectuado varios disparos contra un grupo de personas que se encontraba manifestando en dicha avenida.

Durante la situación, el presidente del centro de estudiantes de la universidad neoespartana resultó herido al recibir un impacto de bala en la cabeza.

Horas más tarde, Kilzi fue detenido en el Municipio Mariño de la referida jurisdicción por funcionarios del Servicio Bolivariano de Inteligencia Nacional.

El 12 de noviembre del mismo año la periodista Jennifer Hrastoviak, de Sol de Margarita, reportó:

-Como un milagro de Dios y la Virgen del Valle, califican la recuperación del dirigente juvenil Filippo Sevillano, quien recibió un impacto de bala en la cabeza el pasado 1 de abril, durante una jornada de volanteo en las adyacencias del semáforo peatonal de la avenida Jóvito Villalba, Municipio Maneiro.

Más adelante la periodista escribió:

-Estoy vivo porque Dios quiso, por un milagro, no porque no quisiera matarme", aseguró el dirigente quien posee solo 20% de la vista y debe someterse a una segunda intervención quirúrgica para colocar una placa en la frente, pues la detonación lo hizo perder masa ósea y encefálica.

Sevillano contó que recibió copia del expediente de su caso a seis meses de haberse iniciado el proceso y denunció que aún continúan las irregularidades, por lo que llama a dejar la política de lado y centrarse en los hechos.

Después indicó:

-Carlos Beaufond, abogado de Sevillano, denunció que hubo varias irregularidades en el proceso, pues la precalificación que hizo el fiscal 10 del Ministerio Público fue "homicidio calificado en grado de frustración con porte ilícito de arma en lugar prohibido" y luego la jueza de la causa cambia la calificación del delito a "lesión grave", alegando que "como no está muerto, no es homicidio". Beaufond dijo que la Fiscalía ha puesto todo el empeño para demostrar la comisión del hecho. "Pareciera que para la Fiscalía del Ministerio Público y para el Poder Judicial Venezolano, el hecho de que un joven sea impactado con un arma de fuego en la cabeza calibre 9 milímetros con onda expansiva, no es un intento de homicidio, sino que es una lesión. En cómo califican la gravedad de los hechos es que está nuestra disconformidad con la justicia venezolana", apuntó el abogado.

La entonces periodista de Sol de Margarita precisó además que Sevillano no recuerda cuándo recibió el disparo, sin embargo, cuenta que esa noche no hubo una "guarimba", sino que varios estudiantes hicieron un cordón humano para repartir volantes.

Indicó que esta actividad generó una molestia en su agresor, identificado por el Ministerio Público como Juan Carlos Kilzi, de 29 años, quien -según cuenta el estudiante-, disparó varias veces al aire para intentar despejar el lugar, los estudiantes se dispersaron por un momento, pero luego retomaron sus puestos y reclamaron al agresor, esto ocasionó que Kilzi ingresara a su vehículo y disparara su arma tres veces más, pero esta vez de forma horizontal, hiriéndolo en la sien.

En vano el abogado del dirigente estudiantil, Carlos Beaufond, afirmaría en su momento que la libertad del imputado caldearía los ánimos del estudiantado.

-Esta es la oportunidad del gobierno –señaló- para demostrar su tolerancia cero a la impunidad.

Cabe señalar que Filippo Sevillano había participado en la marcha efectuada en la mañana de ese día en La Asunción que fracasó en su intento de entregarle un documento al entonces gobernador Carlos Mata. Hay que decir, además. que la jueza Lisselotte Gómez Urdaneta favoreció al pistolero chavista tanto en la calificación del delito como en el sitio de reclusión, que debió haber sido el Centro Penitenciario de San Antonio y no un remoto recinto policial de Margarita

El 3 de abril de 2014 la periodista Mariángela Velásquez, de Venezuela Awareness, reseñó ese caso en los siguientes términos:

-La Asunción. Presunto agresor de Filippo Sevillano fue imputado de lesiones gravísimas.

Jean Carlos Kilzi permanecerá detenido en la península de Macanao. Lissellotte Gómez, jueza tercera de control, bajó la calificación del Ministerio Público que solicitó homicidio frustrado.

Jesús Marcano, fiscal décimo del Ministerio Público, solicitó la calificación de homicidio frustrado, pero Lisselotte Gómez Urdaneta, jueza tercera de control, ordenó bajar el grado del delito a lesiones graves.

Kilzi permanecerá privado de libertad en la sede policial de INEPOL en la península de Macanao, ubicado a 55 kilómetros de La Asunción aproximadamente.

Sevillano, secretario regional juvenil de Acción Democrática y presidente del Centro de Estudiantes de la Universidad de Margarita, permanece hospitalizado en la Unidad de Cuidados Intensivos de la Clínica La Fe, en Pampatar, con un tiro en el cráneo y pérdida de masa encefálica.

Resulta sospechoso que, con insólita rapidez, la Sala de Casación Penal del sumiso Tribunal Supremo de Justicia haya radicado ese caso a un tribunal del Estado Anzoátegui

Según reveló Reporte Confidencial el 2 de abril de ese año en su cuenta en Twitter el agresor del estudiante Filippo Sevillano usó pistola de guerra Tanfoglio, modelo Force, calibre 9mm.

Por otro lado, la Sentencia Nº 123 de Tribunal Supremo de Justicia - Sala de Casación Penal de 10 de abril de 2014, con ponencia de Deyanira Nieves

Bastidas, la cual radicó el juicio contra el agresor de Filippo Sevillano al Circuito Judicial del Estado Anzoátegui, señala:

-El 8 de abril de 2014, el ciudadano Abogado J.M.R., Fiscal Provisorio Décimo del Ministerio Publico del estado Nueva Esparta, interpuso ante la Sala de Casación Penal del Tribunal Supremo de Justicia, una solicitud de RADICACIÓN en la causa seguida en contra del ciudadano J.C.K.M., venezolano, titular de la cédula de identidad V-16.558.532, por la imputación de los delitos de HOMICIDIO INTENCIONAL CALIFICADO CON ALEVOSÍA EN GRADO DE FRUSTRACIÓN, tipificado en el 406 numeral 1, en relación con los artículos 80 y 82, todos del Código Penal, en perjuicio del ciudadano Filippo P.S.L. y USO INDEBIDO DE ARMA DE FUEGO, tipificado en el artículo 113 de la Ley para el Desarme y Control de Armas y Municiones; que cursa ante el Juzgado Tercero de Primera Instancia en Función de Control del Circuito Judicial Penal del Estado Nueva Esparta, signada con el alfanumérico OP01-P-2014-002582 (nomenclatura de dicho Juzgado).

Además, expresa:

-(...) En fecha 1 de abril del año 2014, en horas de la noche el ciudadano J.C.K.M., plenamente identificado, conducía un vehículo marca Nissan, modelo Altima, de color blanco, por la avenida J.V., municipio Maneiro del estado Nueva Esparta, en las adyacencias del Centro Comercial Rattan Plaza, cuando un grupo de personas se encontraban manifestando en el semáforo, por lo que el mencionando ciudadano se detiene en ese lugar, sostiene una discusión con los presentes y saca a relucir un arma de fuego tipo pistola, marca Tanfoglio, modelo force 99, calibre 9 mm de color negro, serial AB54963, efectuando varios disparos al aire y montándose nuevamente en el vehículo, como consecuencia de esta acción le lanzaron objetos al vehículo bajándose nuevamente y efectuando varios disparos en forma horizontal (según testimonio de varios testigos) impactando en la cabeza al ciudadano FILIPPO P.S.L., quien se encuentra en la actualidad recluido en terapia intensiva en la Clínica La Fe del estado Nueva Esparta (...)

El entonces ministro de Interior, Justicia y Paz, Miguel Rodríguez Torres, y quien para ese momento ocupaba la Gobernación del Estado Nueva

Esparta, Carlos Mata Figueroa coincidieron en destacar que Jean Carlos Kilzi reaccionó en defensa de la dama que lo acompañaba y de los daños al vehículo.

Pero la realidad de la agresión que casi le costó la vida a Filippo Sevillano fue relatada por cinco testigos, quienes afirmaron que Jean Carlos Kilzi Molina, conductor de un Nissan blanco, pasó a alta velocidad por la avenida donde los estudiantes estaban entregando volantes. Aseguraron que uno de los manifestantes le lanzó una piedra al carro y el hombre se bajó y disparó tiros al aire. Una joven que iba en el asiento del copiloto y que fue reconocida por varias personas que participaban en la protesta le pidió a su acompañante que dejara de disparar, pero Kilzi siguió disparando hacia el parque Las Banderas, donde estaba Filippo Sevillano.

Manifestantes trancaron algunas calles y avenidas de Valencia

El 2 de abril de 2014 Diario La Nación, reportó:

-Desde tempranas horas de la mañana del miércoles se registraron enfrentamientos entre las autoridades y vecinos del norte de la ciudad de Valencia por el control de las calles y avenidas, informó Últimas Noticias.

Luego indicó que funcionarios de la Policía de Carabobo y de la Guardia Nacional dispararon perdigones plásticos y lanzaron bombas lacrimógenas contra los manifestantes quienes desde hace más de 40 días insisten en improvisar barricadas para exigir la renuncia de Nicolás Maduro.

Después apuntó:

-En la Autopista del Este, a la altura de Daka y el Distribuidor El Trigal, se produjeron choques entre las autoridades y los vecinos. Los manifestantes interrumpieron el tránsito tras haber incendiado cauchos. A las siete de la mañana en el sector Palma Real los vecinos trancaron las calles mientras que los uniformados de la Policía de Carabobo intentaban hacerlos replegar.

Y finalizó señalando:

En la entrada de las urbanizaciones El Trigal Norte y El Trigal Sur se registraron enfrentamientos debido a que los manifestantes colocaron barricadas y escombros en las calles y avenidas. La noche del martes también se produjeron escaramuzas en la Autopista del Este luego de que llegara una marcha procedente del sector Prebo de Valencia. Los disturbios se prolongaron hasta la media noche.

Policías, Guardias Nacionales y civiles armados atacan residencias en Montalbán

El 2 de mayo de 2017 el portal El Estímulo reportó que agentes de la Guardia y la Policía Nacional, reforzados por bandas de civiles armados, arremetieron en la noche del martes contra edificios residenciales en la urbanización Montalbán II, oeste de Caracas, para reprimir a manifestantes contrarios al gobierno de Nicolás Maduro, informaron vecinos a través de mensajes telefónicos, redes sociales y reportaron periodistas.

Tras lo cual apuntó:

-Los disparos de perdigones y bombas lacrimógenas se hicieron sentir contra paredes y ventanas de varios edificios, entre ellos Villa Uno, denunciaron vecinos desesperados por la incursión que se prolongó hasta cerca de la medianoche.

«¡Dos de mayo diez y veinte de la noche, están disparando contra los edificios, están lanzando bombas lacrimógenas, están atacando los edificios con lacrimógenas y perdigones, en Montalbán Dos», gritaba una vecina no identificada en un mensaje de voz pidiendo ayuda!

Luego señaló:

-Tanqueta de la GNB dispersa protesta en Montalbán. Venían acompañadas de motos de civiles. Lanzan bombas contra apartamentos», escribió la periodista Osmary Hernández, corresponsal en Venezuela de CNN en español en su cuenta de Twitter.

«Reprimen a vecinos de Montalbán II que protestaban en rechazo a la Constituyente anunciada por Nicolás Maduro», dijo en otro mensaje.

Varios otros periodistas y usuarios de Twitter narraron la llegada de refuerzos policiales y de la Guardia Nacional hacia la zona de La Villa y el Centro comercial La Villa.

Se escuchaban detonaciones de armas de fuego, gritos contra los agentes, y ruidos de cacerolas.

Reporte Ya, una red de periodismo ciudadano reportó ataques a los edificios, por parte de agentes uniformados y bandas de motorizados vestidos de civil, los llamados «colectivos».

Los testigos también describían detonaciones de armas de fuego y mostraban videos tomados en la oscuridad de la noche, donde se podía constatar el despliegue de los cuerpos de represión.

No estaba claro de inmediato por qué los uniformados y civiles decidieron atacar los edificios desde las calles adyacentes. Desde temprano Montalbán, así como otras urbanizaciones de Caracas vivieron otra jornada de protestas contra el gobierno, con cierres de vías, gritos y ruidos de cacerolas.

El periodista Francisco Urreiztieta, corresponsal internacional, escribió en su cuenta de Twitter que «los colectivos actúan en despejar bloqueos de calles en Montalbán. Amenazan con armas de fuego».

Una tanqueta intentó derribar la reja de uno de los edificios persiguiendo a manifestantes que corrieron hacia el interior del conjunto residencial, relató una testigo.

A dos años de la Masacre de Macuto

El 12 de mayo de 2022, con motivo de cumplirse dos años de la masacre de Macuto, que la propaganda oficial catalogó de enfrentamiento contra quienes querían derrumbar el régimen y asesinar a Nicolás Maduro y le dio el nombre de Operación Gedeón, la misma denominación que le dio a un desproporcionado uso de militares, policías y armamento de guerra para asesinar en vivo y directo al inspector del Cuerpo de Investigaciones Científicas, Penales y Criminalísticas Oscar Pérez y su grupo en Macuto, Nehomaris Sucre, de El Pitazo, escribió:

-El diputado opositor Wilmer Azuaje presentó en 2020, ante la Corte Penal Internacional (CPI), un informe en el que denunció que seis de los fallecidos en la Operación Gedeón, llevada a cabo en mayo de ese año en las costas de Macuto y Chuao, fueron presuntamente ejecutados de manera extrajudicial. En el documento con 164 fotografías se observan indicios de lo que podrían ser tiros de contacto próximo, es decir, disparos a quemarropa.

En el mismo informe se señala que no hubo enfrentamiento armado y que las víctimas fueron torturadas antes de la ejecución. Según Azuaje algunos cuerpos presentaron hasta más de 30 heridas de bala y la lancha tenía más de 700 disparos.

Las muertes horrendas, de esas que superan los límites del asombro, y que además tienen un trasfondo político, se han convertido en el pan nuestro de cada día. En la masacre de Macuto fuerzas militares y policiales interceptaron a los miembros de la Operación Gedeón. Durante el hecho murieron al menos ocho integrantes del grupo que se había propuesto sacar a Maduro del poder.

Luego apuntó:

-En la operación había militares disidentes y expolicías venezolanos que incursionaron por vía marítima a bordo de lanchas. En el primer intento, seis personas trataron de ingresar por Macuto y, en el segundo intento, otras ocho buscaron introducirse a través de las costas de Chuao. Desde el principio era un plan muy osado, por no decir suicida.

Los días posteriores a la masacre estuvieron plagados de confusión. El Estado venezolano no reveló los nombres de todos los fallecidos. Los padres del capitán Robert Colina, uno de los abatidos, reclamaron que el gobierno no les permitía reconocer el cuerpo de su hijo. Así opera la "justicia" venezolana.

Un mes después de la operación, existían 78 personas detenidas por su participación en el plan, 67 procedentes de la fuerza armada, según información emitida por el Ministerio Público y el Tribunal Supremo.

Más adelante la fuente señaló:

-La ONG Familiares de Presos Políticos Militares en Venezuela registra 24 conspiraciones que ha denunciado el Estado venezolano entre los años 2014 y 2020. En un país donde el Gobierno hace alarde de "perfecta unión cívico-militar" resulta contradictorio que existan tantas rebeliones. Sin duda, la división dentro de la fuerza armada es un hecho innegable, al menos ideológicamente no existe un pensamiento único y favorable a Maduro, como pretende hacerlo ver el chavismo.

Mientras tanto, en abril el gobierno solicitó a la CPI aplazar la investigación sobre presuntos crímenes de lesa humanidad en Venezuela, pero el fiscal Karim Khan rechazó esa petición afirmando que no existe nada que justifique tal solicitud. Sin duda, muchas piezas no están a favor de Maduro en esta partida y por lo tanto seguirá buscando formas de retrasar el proceso.

El delito de no liberar detenidos con boleta de excarcelación

El 12 de mayo de 2022, con motivo de cumplirse dos años de la masacre de Macuto, que la propaganda oficial catalogó de enfrentamiento contra quienes querían derrumbar el régimen y asesinar a Nicolás Maduro y le dio el nombre de Operación Gedeón, la misma denominación que le dio a un desproporcionado uso de militares, policías y armamento de guerra para asesinar en vivo y directo al inspector del Cuerpo de Investigaciones Científicas, Penales y Criminalísticas Oscar Pérez y su grupo en Macuto, Nehomaris Sucre, de El Pitazo, escribió:

-El diputado opositor Wilmer Azuaje presentó en 2020, ante la Corte Penal Internacional (CPI), un informe en el que denunció que seis de los fallecidos en la Operación Gedeón, llevada a cabo en mayo de ese año en las costas de Macuto y Chuao, fueron presuntamente ejecutados de manera extrajudicial. En el documento con 164 fotografías se observan indicios de lo que podrían ser tiros de contacto próximo, es decir, disparos a quemarropa.

En el mismo informe se señala que no hubo enfrentamiento armado y que las víctimas fueron torturadas antes de la ejecución. Según Azuaje algunos cuerpos presentaron hasta más de 30 heridas de bala y la lancha tenía más de 700 disparos.

Las muertes horrendas, de esas que superan los límites del asombro, y que además tienen un trasfondo político, se han convertido en el pan nuestro de cada día. En la masacre de Macuto fuerzas militares y policiales interceptaron a los miembros de la Operación Gedeón. Durante el hecho murieron al menos ocho integrantes del grupo que se había propuesto sacar a Maduro del poder.

Luego apuntó:

-En la operación había militares disidentes y expolicías venezolanos que incursionaron por vía marítima a bordo de lanchas. En el primer intento, seis personas trataron de ingresar por Macuto y, en el segundo intento, otras ocho buscaron introducirse a través de las costas de Chuao. Desde el principio era un plan muy osado, por no decir suicida.

Los días posteriores a la masacre estuvieron plagados de confusión. El Estado venezolano no reveló los nombres de todos los fallecidos. Los padres del capitán Robert Colina, uno de los abatidos, reclamaron que el gobierno no les permitía reconocer el cuerpo de su hijo. Así opera la "justicia" venezolana.

Un mes después de la operación, existían 78 personas detenidas por su participación en el plan, 67 procedentes de la fuerza armada, según información emitida por el Ministerio Público y el Tribunal Supremo.

Más adelante la fuente señaló:

-La ONG Familiares de Presos Políticos Militares en Venezuela registra 24 conspiraciones que ha denunciado el Estado venezolano entre los años 2014 y 2020. En un país donde el Gobierno hace alarde de "perfecta unión cívico-militar" resulta contradictorio que existan tantas rebeliones. Sin duda, la división dentro de la fuerza armada es un hecho innegable, al menos ideológicamente no existe un pensamiento único y favorable a Maduro, como pretende hacerlo ver el chavismo.

Mientras tanto, en abril el gobierno solicitó a la CPI aplazar la investigación sobre presuntos crímenes de lesa humanidad en Venezuela, pero el fiscal Karim Khan rechazó esa petición afirmando que no existe nada que justifique tal solicitud. Sin duda, muchas piezas no están a favor de Maduro en esta partida y por lo tanto seguirá buscando formas de retrasar el proceso.

El General de la Dignidad Militar

General del Ejército Ángel Vivas Perdomo

El general del ejército Ángel Vivas Perdomo es de pequeña estatura física pero posee una dignidad, un coraje y un amor a Venezuela que ya quisiera para sí cualquiera miembro de la cohorte de generales de opereta que, por expoliar impunemente los recursos económicos de la Nación y cometer todo género de arbitrariedades contra la ciudadanía y sus bienes, sirve de sostén armado a la narcodictadura de Nicolás Maduro para que ésta se perpetúe en el palacio de Miraflores, como quiso hacerlo, pero la muerte se lo impidió, el teniente coronel (retirado) Hugo Chávez, su benefactor, cuyos entuertos pareciera estar tratando de corregir al devolverles a sus legítimos propietarios los bienes que el malhadado socialismo del siglo XXI les confiscó arbitrariamente, sin cumplir los extremos legales que para tales actos gubernamentales contempla la Constitución Nacional.

El general Vivas Perdomo se dio a conocer públicamente en 2014 cuando apareció desde el balcón de su casa, fusil en mano, desafiando al narcodictador Nicolás Maduro a que fuera él mismo a detenerlo por las acusaciones que hiciera en su contra sobre su presunta condición de instructor de quienes ese año participaban en el movimiento antigubernamental "La Salida", que liderara el dirigente de Voluntad Popular Leopoldo López,

El 12 de mayo de 2022 la periodista Mariángel Colmenares, de El Pitazo, con motivo de la condena que sobre el referido general dictara dos días antes un tribunal militar, reseñó:

-Caracas. - En 2014 el gobernante Nicolás Maduro acusó al general Ángel Vivas Perdomo de entrenar a los manifestantes, a través de videos difundidos en las redes, para que hicieran frente a los cuerpos policiales en las barricadas que se levantaron durante las protestas nacionales, conocidas como La Salida. Tras un largo y desgastante proceso judicial, el martes 10 de mayo de 2022 un tribunal militar lo sentenció a siete años y seis meses por el delito de instigación a la rebelión.

La periodista explicó, además:

-No es la primera condena que recibe el general Vivas Perdomo por su postura contra los gobiernos de Hugo Chávez y Maduro. El 28 de abril de 2010 fue enjuiciado, y el 1 de marzo de 2012 fue condenado por el Consejo de Guerra de Caracas a 4 meses y 15 días de arresto por insubordinación, desobediencia y falta al decoro militar. La causa se inició en el 2007, cuando solicitó al Tribunal Supremo de Justicia (TSJ) la eliminación del uso en las Fuerzas Armadas del lema "¡Patria, Socialismo o Muerte! ¡Venceremos!", y propuso la consigna: "¡Muerte a la Tiranía! ¡Larga Vida! ¡Libertad!".

¡Qué inmoral fue el Consejo de Guerra del teniente coronel (retirado) Hugo Chávez al condenar al pundonoroso general Ángel Vivas Perdomo

por oponerse a que en las fuerzas armadas se voceara la consigna política cubana Patria, Socialismo o Muerte imputándole, entre otros, el delito de falta al decoro militar!

Desde ese momento, el mismo Vivas Perdomo se declaró un perseguido político, quizás el más antiguo del gobierno chavista-madurista, del que ha sido abiertamente crítico.

Respeto a su formación militar y académica, Mariángel Colmenares explicó:

-Vivas Perdomo es tachirense y tiene hoy 65 años. Se graduó de subteniente en 1978 y como ingeniero civil en 1988. Además, realizó estudios de planificación y organización de transportes en Londres, Inglaterra.

En 1998, antes del gobierno de Hugo Chávez Frías, fue designado por la Organización de Estados Americanos (OEA) como comandante de la Misión Multinacional Marminca en Centroamérica, donde dirigió las operaciones antiminas, al mando de militares expertos en ingeniería de combate de Venezuela, Colombia, El Salvador, Brasil, Argentina y Estados Unidos.

Durante su trayectoria militar recibió 35 condecoraciones otorgadas por Venezuela, Nicaragua, Honduras, Panamá, Costa Rica, Guatemala y Estados Unidos, según una reseña publicada por Noticias 24.

Después indicó:

-En 2007 el fallecido... Chávez lo designó director de Ingeniería del Ministerio de Defensa. Ese mismo año, por las graves violaciones a la Constitución venezolana, renunció a la carrera militar.

El nombre de Vivas Perdomo ocupó los principales titulares cuando pidió la eliminación del uso en las Fuerzas Armadas del lema "¡Patria, Socialismo o Muerte! ¡Venceremos!", y pese a la condena que fue dictada en su contra, nunca la cumplió.

El general volvió a ser noticia en 2014, cuando apareció armado con un fusil en un balcón de su residencia, en Caracas, para evitar ser detenido, luego de que el gobierno de Maduro ordenó su arresto por incitar, presuntamente, a la violencia en las protestas de esa fecha. Las imágenes del general Vivas Perdomo, en guardia, dieron la vuelta al mundo y quedaron para el recuerdo.

El militar retirado reconoció en sus redes sociales el 22 de febrero de 2014, unas horas después, que sí había difundido información e instrucciones a través de redes sociales para la instalación de barricadas en la vía pública.

Entonces escribió en su cuenta en Twitter:

-Mandar a meterme preso por recomendar a civiles inocentes cómo defenderse con un alambre de bandas, tropas, tanques y fusiles es una aberración.

La periodista, por su parte, señaló también:

-Pero su aprehensión se concretó tres años después, el viernes 7 de abril de 2017. Fue Natalia Vivas, hija del general, quien informó que el Servicio Bolivariano de Inteligencia Nacional (SEBIN) detuvo a su papá cuando salió de su residencia para ayudar a un joven que había impactado su vehículo contra el portón de su casa. La familia denunció que el accidente fue una trampa para lograr la aprehensión y ser recluido en El Helicoide.

El 27 de octubre de 2017, la Comisión Interamericana de Derechos Humanos otorgó medidas cautelares a favor de Vivas mientras estaba preso y advirtió que tras su liberación se extenderían a su esposa e hija.

La justicia de la narcodictadura, tanto civil como militar, es implacable contra sus oponentes, pero bondadosa en grado sumo con los pocos criminales del oficialismo que condenan

Posteriormente apuntó:

-Un año después, en 2018, el general consiguió la libertad condicional, cuando Maduro ordenó la revisión de los casos de 39 actores políticos encarcelados. La medida fue otorgada el 1 de junio, y el general aprovechó su paso ante las cámaras de la Casa Amarilla, durante un acto político donde se le darían beneficios a un grupo de presos, para dejar un mensaje. Se le escuchó gritar «¡Muera la tiranía, viva la libertad!», cuando caminaba por uno de los pasillos de la sede de la Cancillería.

Seis días después de este hecho, Estrella Victoria de Vivas, esposa del general, publicó en su cuenta en Twitter que Vivas debió ser sometido a una intervención quirúrgica por «las patadas que recibió por parte de los funcionarios del SEBIN durante su reclusión». Dijo que los daños en su columna eran irreparables, porque no fue atendido a tiempo.

Y finalmente precisó:

-Con su salud deteriorada, el general Vivas ya ha cumplido más de la mitad de esta condena. Pagará lo que queda de la sentencia, alrededor de dos años, en su casa, donde ha estado en arresto domiciliario por casi 4 años, pero ahora estará sujeto a un régimen de presentación en tribunales cada 30 días.

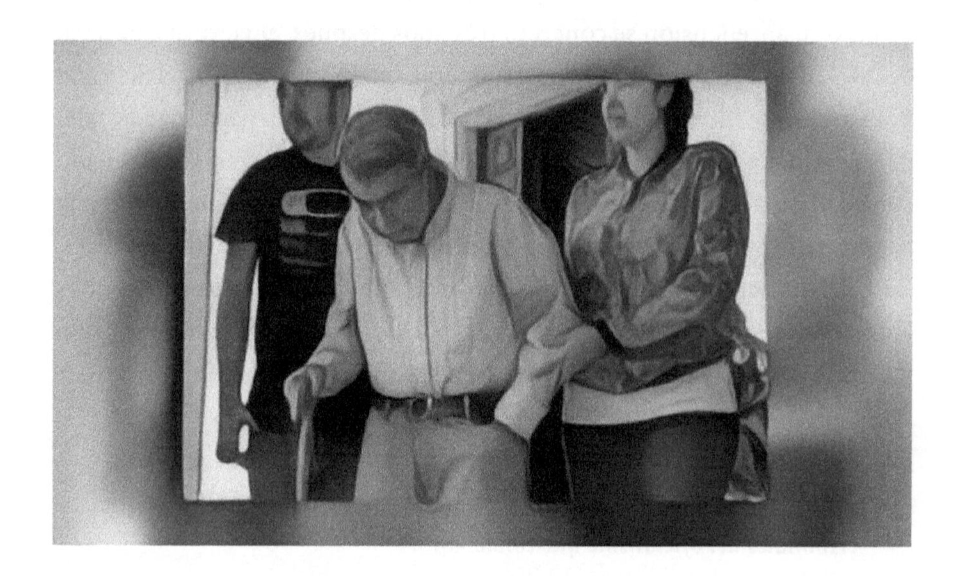

About the Author

Nació en el caserío **Marabal**, hoy en día parroquia homónima del Municipio Mariño del **Estado Sucre, Venezuela**.

Es Licenciado en Periodismo, Trabajador Social, Investigador Cultural y Poeta.

Todo cuanto escribe, en prosa o verso, lo firma con sus dos apellidos, **Rodulfo González**.

Publica diariamente los Blogs: "Noticias de Nueva Esparta" y "Poemario de Eladio de Eladio Rodulfo González", Es miembro fundador del Colegio Nacional de Periodistas, Seccional Nueva Esparta. Pertenece a la Sociedad Venezolana de Arte Internacional.

En formato digital ha publicado los libros:

Poesía:

La Niña de Marabal

Poesía Política

Elegía a mi hermana Alcides

Cien Sonetillos

Mosaicos Líricos

Alegría y tristeza

Covacha de sueños

¡Cómo dueles, Venezuela!

Encuentros y desencuentros
Ofrenda lírica a Briceida
Antología de poemas comentados y destacados Partes I al IV
Guarumal
Brevedades líricas
Poemas disparatados

Investigación Cultural:
Dos localidades del Estado Sucre
El Municipio Marcano del Estado Nueva Esparta
Patrimonio Cultural Mariñense
Cristo en la devoción religiosa católica neoespartana
Festividades Patronales Mariñenses
La Quema de Judas en Venezuela
El Municipio Gómez del Estado Nueva Esparta
Festividades patronales del Municipio Antolín del Campo
La Virgen María en la devoción religiosa de Margarita y Coche
Festividades patronales del Municipio García del Estado Nueva Esparta, Venezuela
Festividades patronales del Estado Nueva Esparta
Nuestra Señora de Los Ángeles, patrona de Los Millanes
La Quema del Año Viejo en América Latina
La Quema de Judas en Venezuela, 2013-2014
La Quema de Judas en Venezuela 2015
Grandes compositores del bolero
Grandes intérpretes del bolero

Investigación Periodística:
Textos Periodísticos Escogidos 1 y 2
La libertad de prensa en Venezuela
Cuatro periodistas margariteños
La historia de Acción Democrática en tres reportajes periodísticos
La Hemeroteca Loca Tomos 1 al 7

La guerra del dictador Hugo Chávez contra comunicadores sociales y medios desde 2004 hasta 2012

La guerra del dictador Nicolás Maduro contra comunicadores sociales y medios desde 2013 hasta 2018

Catorce años de periodismo margariteño

Gobernadores contemporáneos del Estado Nueva Esparta.

Entre sus publicaciones en papel se cuentan

Poesía:

Ofrenda Lírica a Briceida

Marabal de Mis Amores

La Niña de Marabal

Elegía a mi Hermana Alcides

Trípticos literarios A Briceida en Australia, Colorido, Elevación, Divagaciones y Nostalgias

Mis mejores Versos en Prosa

Incógnita

Mis mejores poemas en prosa

Añoranzas y otros poemas escogidos

Mosaicos Líricos

Entre Sueños, Cuitas a la Amada

¡Cómo dueles, Venezuela!

Noche y otros poemas breves

Poemas Políticos escogidos

Sonetillos Escogidos

Alegría y Tristeza

Covacha de Sueños

Incógnita

Investigación Cultural:

El Gallo en el Arte, la Literatura y la Cultura Popular

Pelea de Gallos, Patrimonio Cultural Mariñense

Festividades Patronales Mariñenses

Festividades Navideñas
Manifestaciones Culturales Populares de la Isla de Coche
Manifestaciones Culturales Populares del Municipio Gómez
Manifestaciones Culturales Populares del Municipio Marcano
Dos Localidades del Estado Sucre
Nuestra Señora de los Ángeles patrona de Los Millanes
El Bolero en América Latina
Historia de los Primeros Periódicos de América Latina
La Quema de Judas en Venezuela 2013-2014
La Quema del Año Viejo en algunos países de Latinoamérica
Festividades Patronales del Estado Nueva Esparta
Grandes Intérpretes del Bolero
Nuestra Señora de los Ángeles patrona de Los Millanes

Investigación Periodística:

La Desaparición de Menores en Venezuela
Problemas Alimentarios del Menor Venezolano
Niños Maltratados
Háblame de Pedro Luis
Siempre Narváez
Estado Nueva Esparta:1990-1994
Caracas sí es gobernable
Carlos Mata: Luchador Social
Así se transformó Margarita
Margarita y sus personajes (cinco volúmenes)
Vida y Obra de Jesús Manuel Subero
La Mujer Margariteña
Breviario Neoespartano
Margarita Moderna
Cuatro Periodistas Margariteños
Morel: Política y Gobierno
Francisco Lárez Granado El Poeta del Mar
El Padre Gabriel

La guerra del dictador Hugo Chávez contra comunicadores sociales y medios desde 2004 hasta 2012

La guerra del dictador Nicolás Maduro contra comunicadores sociales y medios desde 2013 hasta 2018

La Hemeroteca Loca Tomos 1 al 7

Los Ojos Apagados de Rufo

El Asesinato de Oscar Pérez

Gobernadores contemporáneos del Estado Nueva Esparta

Imprenta y Periodismo en Costa Rica

Rómulo Betancourt: más de medio siglo de historia

Chávez no fue Bolivariano

El asesinato de Fernando Albán

El Asesinato del Capitán de Corbeta Acosta Arévalo

Morir en Socialismo Tomos I, II, III, IV y V

Los Indígenas en el Socialismo del Siglo XXI

La Corrupción en el Socialismo del Siglo XXI Tomo I, II, III

En formato CD ha publicados los libros Publicaciones en CD. La Libertad de Prensa en Latinoamérica y otros textos, Festividades Patronales Mariñenses, Elegía a mi Hermana Alcides, La Niña de El Samán, Marabal de Mis Amores, Festividades Patronales del Municipio Villalba y Festividades Patronales del Municipio Antolín del Campo.

You can connect with me on:

- https://cicune.org
- https://twitter.com/mauritoydaniel
- https://www.facebook.com/cicune
- https://amazon.com/author/rodulfogonzalez
- http://bit.ly/3XDrZ9V
- https://apple.co/3GTcOT8
- http://bit.ly/3HdAB1z
- http://bit.ly/3IVVuQc

Subscribe to my newsletter:

✉ https://cicune.org/contact

Also by Rodulfo Gonzalez

Nació en el caserío **Marabal**, hoy en día parroquia homónima del Municipio Mariño del **Estado Sucre, Venezuela**.

Es Licenciado en Periodismo, Trabajador Social, Investigador Cultural y Poeta.

Todo cuanto escribe, en prosa o verso, lo firma con sus dos apellidos, **Rodulfo González**.

Los indígenas en el Socialismo del Siglo XXI

http://bit.ly/3IVVuQc

En el socialismo del siglo XXI, las condiciones de los pueblos originarios han empeorado a términos solo comparables a la era colonial.

Nuestros indígenas son despojados de sus tierras, en zonas mineras, por militares de las Fuerzas Armadas en contubernio con bandas delictivas, son asesinados tanto por estos como por grupos irregulares colombianos, son sometidos a esclavitud, son perseguidos inclusive en territorio brasileño y son excluidos de programas de atención alimentaria y sanitaria causando altos grados de mortalidad, desnutrición, etc.

Milton Keynes UK
Ingram Content Group UK Ltd.
UKHW020608201123
432904UK00008B/135